D1506632

EL CHORIZO
y otros cuentos

Gian Mario Urso

unicuique suum

Índice

El Chorizo y otros cuentos

Francisco, Trágico Final de un Sueño

Después de muchos años, en los rincones de su memoria, cuando no podía ya sacar los nombres ni las caras de las novias de un día y las esposas da una noche, de "ella" jamás Francisco se pudo olvidar.

Cajero en el Banco de Occidente en la carrera 43 de Barranquilla, Francisco Rodriguez, cuarentón, soltero, creyó haber encontrado al fin la mujer de su vida. Llegó a cobrar un cheque; tenía un cuerpo tan provocador y con ropa que era fácil imaginar el poder de demolición que debía tener sin y en una cama.

Francisco estaba tan perturbado que casi no lograba entender lo que ella decía: alta, rubia, de cabellera frondosa, ojos verdes, con la piel bronceada al sol del Caribe, de largas y esbeltas piernas. Bajo el liviano vestido de seda floreado se adivinaban chichas paraditas y de buen tamaño, condimentado con tufo a mujer y perfume inebriante, una mezcla explosiva y perturbante.

Sin esperanzas le pidió que fueran a cenar juntos; nunca se sabe. "Le vie del signore sono infinite" – el Señor trabaja de manera misteriosa, nunca hay que perder la fe. En el evangelio está que "pulsate et aperietur vobis" que en el idioma caribe se puede traducir como: "el que no llora, no mama". En el banco nunca se había atrevido a tanto y como cajero estaba terminantemente prohibido cualquier asunto que no fuera cosa del banco, con un director hijueputa que no lo quería y que solo esperaba una buena razón para joderlo y echarlo a la mierda era muy arriesgado, igual se arriesgó, a dos manos agarró valor y le echó los perros.

La mujer aceptó. Las horas que faltaban para el cierre del banco las pasó en las nubes, después en la casa revolviéndolo todo y pensando como aparecer mejor de lo que era, frente al espejo se tardó un largo rato, pastoreándose en una rasurada cuidadosa a culo de niño tierno para rebajarse unos años y poniéndose la mejor ropa que tenía: el uniforme de su seducción: camisa de seda azul cielo con rayitas, saco y pantalones de lino crudo bien planchado, corbata delgada azul marino con un prendedor de oro, insignia del Club Vélico de Barranquilla en la solapa, zapatos Flor chain, pelo abrillantado y una fumigada de Agua de Florida. Se encontrarían en el restaurante "La Cueva" en la calle 65 esquina carrera 43, tal vez lo más exclusivo de Barranquilla.

Francisco estaba feliz y trastornado, en ansiosa espera.

Ella llegó. Le contó que era de Cartagena de Indias. Esperaba una entrevista de trabajo y se quedaría una semana en Barranquilla, capaz por siempre si le daban el trabajo.

Él, filete de mero en salsa verde con ensalada, ella, curruncha a la plancha, ellos, vino francés "Blanc de blanc" recomendado para acompañar el pescado, queso Camembert de Francia, dessert Strudel de manzanas estilo tiroles, café y cognac "Carlos Primero" al final.

Hoy o nunca más; Francisco ofreció hospedarla en su casa, con escasas esperanzas y únicamente por cortesía, nunca se hubiera imaginado que ella aceptaría.

Aceptó.

En la casa mientras que él estaba armando el sofá para dormir, ella le hizo entender que podían acostarse juntos.

En la ducha el corazón le daba tumbos, le faltaba el aliento por la emoción, al fin en la cama, temblando extendió la mano sobre ella y se topó con una gran verga parada.

Humillado, asustado y enojado, sacó de la gaveta de la mesita de noche el revolver Smith Wesson calibre 32 herencia de su abuelo....

A la policía contó que el hombre lo quería violar: para el juez fue "legítima defensa" y quedó libre.

Brovelia

Después de una inexorable lluvia de una semana el río se desbordó arrastrando toditas las champas de su orilla; algunos se metieron en un solar abandonado a lo largo del viejo ferrocarril, propiedad de una vieja compañía gringa que, en los tiempos de la segunda guerra mundial, cuando todavía no existían las fibras sintéticas, explotaba una plantación de sisal, una fibra vegetal, en aquel tiempo material estratégico para hacer cuerdas para los buques.

Así se fundó el Chorizo, en tierra de nadie, ya que la compañía no existía desde hace muchos años. Primero fue considerado una aldea y después un barrio del pueblo.

Con la creación del hediondo basurero municipal

dos cuadras abajo del Chorizo, muchos se alejaron. Los que quedaron se terminaron acostumbrando.

Una colonia de cutes y un ejército de perros se peleaban por todo lo que era carne, sobre todo por lo que la "Empacadora del Norte" descargaba en el basurero. La destilería clandestina al fondo del barrio recogía fruta podrida y cáscaras de papa y de plátano, desechos de la fábrica "Delicias" que a su vez producía papas fritas y tajaditas, para luego destilar un guaro, dicen que era el mejor del país, que luego de ser embotellado en frascos de Pinexo alimentaba clandestinamente las cantinas.

El mal olor era implacable. La brisa de la noche que soplaba hacia el Chorizo con su tufo peculiar todo empapaba... ropa, sábanas, cobijas, el pelo, hasta la comida sabía a basurero. Y los que se acostumbraron... unos de ahí mismo sacaban lo necesario para vivir.

Un montón de cipotes vivían recogiendo cartón y cualquier cosa que se podía vender... ropa, zapatos apestosos, latas, madera y hasta comida podrida que decían podían curar con limón y que, por hambre, se hartaban mientras peleaban por ella con los zopis y perros.

En el Chorizo quedaron unas putas especializadas

en dar clases a menores de edad. El Gobernador político, quien tenía un montón de nietos, había prohibido a los menores frecuentar los burdeles reconocidos. Estas putas eran ya de segunda o tercera categoría, viejas o feas, pero graduadas de los mejores burdeles del pueblo. Bajadas de rango, saciaban los deseos de los pobres y menores a peso el polvo.

Además de unos artesanos había un taller de mecánica, un carpintero que producía trocos que alquilaba a los vendedores de naranjas, un zapatero, una costurera, unos albañiles y una comunidad de pachangueros que vivían alegres en una champa de bahareque bien amueblada con colchones que un motel, un metedero para parejas clandestinas, tenía que cambiar cuando el olor a orina se hacía inaguantable.

Margot, ex puta jubilada, criaba cerdos. En la mañana los chanchos felices se iban retozando a comer al basurero y regresaban puntualmente a la porqueriza antes del anochecer. Cuando tocaba destazar a un cerdo Margot lloraba, dicen que ni comía las carnes. Y por la mañana ponía una gran olla para los chicharrones en medio de la mejor y única calle de la aldea.

En esa calle estaba la trucha de Brovelia, que además

era partera de emergencia, curandera, hierbera, preparaba los brebajes para empacho, puje de los tiernos y mollera, y vendía un polvo de "venga venga" para amarres de amor. El esposo de Brovelia era de los que tenían mal trago: era hasta cariñoso pero cuando lograba echarse un trago se ponía violento y le echaba verga. La mujer aguantó hasta que al fin, acudiendo a un remedio tradicional, la sopa de cute, Brovelia curó a su hombre que se fue a trabajar a la bananera y nunca volvió a casa, y así Brovelia espantó hasta la plaga de los hombres, pero nunca se había topado con una mula despatarrada.

Por su carácter dulce, Margarita, la mula sin ojo derecho de Valterio Lara, se había ganado la simpatía de todos, además nadie tenía que chapear ya que Margarita se encargaba de mantener limpio comiendo todo el monte del Chorizo.

El día que Margarita amaneció echada quejándose que no se podía parar, por la inquietud de todo el vecindario, Brovelia le hizo tomar un brebaje de yerba buena, le frotó la panza con Vix, le metió dos cabezas de ajo machucadas en el culo y le echó Agua de Florida en las orejas. A los dos días echó gases por el culo, reventó en un chorro de mierda negra, orinó con un manantial lánguido y se paró curada.

Los paisanos armaron una gran fiesta, salieron las

guitarras, cada uno trajo algo, tamales, nacatamales de cerdo, enchiladas, cervezas, guaro. Consuelo, la hija menor de Brovelia, desapareció sin dejar rastro hasta que el hijo de un albañil reportó que en el sur la había visto en el burdel "la Casa Rosada", propiedad de doña Blanca.

Resultó que el chofer de la baronesa "La Bonita", la que viajaba hasta el puerto, la había enamorado para después venderla al burdel por tres mil pesos. Para rescatarla, tenían que pagar ahora la misma cantidad.

La muchacha desesperada quería volver a casa.

Brovelia no tenía los tres mil pesos pero todo el Chorizo se activó para colectar lo que faltaba.

Las putas le subieron el precio a los polvos, los cipotes del basurero recogieron más cartón, el carpintero trabajó hasta de noche para cobrar rápido, y cuando al fin se llegó a los tres mil, los pachangueros que vivían en la champa de bahareque se ofrecieron para ir a rescatar a la cipota.

Salieron a pie con los tres mil más trescientos pesos para los gastos de viaje, junto a seis botellas de Vino Santo, tabaco, cobijas, y una olla para cocinar, con la esperanza de poderse güeviar alguna gallina en camino.

Caminaban por la mañana hasta que el calor estallaba; se paraban bajo un árbol en la sombra y se quedaban ahí bebiendo comiendo dormitando y cuando el calor bajaba de nuevo se ponían en camino de nuevo, pero bien a verga muy poco adelantaban.

Así se tardaron más de una semana, chupándose los trescientos y casi todos los tres mil. Llegados se instalaron en un manglar comiendo sopa de jaiba.

No les fue difícil localizar al busero, y mucho menos difícil hacerlo confesar con un trancazo bien puesto en la cabeza. Lo llevaron al manglar, maneado y desnudo, expuesto a la plaga. A los dos días el busero le escribió a su mujer, dueña de una trucha en el puerto, que mandara plata ya que estaba secuestrado.

Rescatada la muchacha la metieron en un bus y así Consuelo regresó al Chorizo.

Fue gran fiesta con marimba, las putas prepararon nacatamales de carne de cerdo, tamales, pupusas, enchiladas y baleadas, la destilería repartió guaro, todos bailaron hasta noche alta.

En el manglar los pachangueros discutieron un día entero bebiendo Vino Santo si podían soltar al hijueputa o no. Decidieron dejarlo maneado para que se lo hartaran los zancudos. No por maldad ya que los pachangueros son muy distintos a los borrachos – no existen pachangueros malos – era que soltar al chofer de la baronesa podría ser peligroso. Lloraron y rezaron por él y luego salieron de regreso felices y se tardaron varios días; en la mañanita cada uno salía a conseguir comida y algo para tomar y después arrancaban pero al estallar el calor del medio día se sentaban debajo de un árbol chabacaneando y bebiendo y al bajar el calor arrancaban otra vez pero medio a verga adelantaban muy poco. En la noche prendían el fuego para espantar la audacia de los zancudos y en una cubeta echaban guaro, Vino Santo y Coca Cola. De la cubeta cada uno pescaba con su lata y a traguitos cuchiceando cada uno según su aguante, se iba fondeando.

Cuando al fin después de dos semanas los heroicos pachangueros regresaron al Chorizo, se armó otra fiesta.

Todo Bien

Al despertarse y mirar el reloj colocado en la mesita de noche tuvo un momento de pánico hasta que recordó que había sido suspendido de su trabajo en el banco "La Financiera Centroamericana".

Habían encontrado algunas irregularidades y aquel gran hijueputa del gerente le había echado la culpa.

No se explicaba porque siempre lo estaba jodiendo y culpándolo por todo lo malo que sucedía en el banco.

¿El motivo de tanto odio?

A saber...

Era un día que se anunciaba feo, le ardía el culo por las almorranas, esperaba los resultados de los exámenes para operarse y además le faltaba su perrita. Ella que en las mañanas se encaramaba en la cama a lamerle la cara para que la llevara a hacer sus necesidades.

Pero la vieja puta e hijueputa dueña del edificio donde vivía lo había obligado a tener la perrita donde un amigo ya que se lamentaba que el animal mucho ladraba. Los ladridos de la perra se debían a que la casa de la vieja era una casa clandestina de putas, además menores de edad.

Se decía que la vieja puta tenía los uniformes de todos los colegios de la ciudad y disfrazaba las putitas de estudiantes para cobrar más.

De su casa salían estudiantes del María Auxiliadora, con camisa blanca y falda azul, calcetines blancos y zapatos negros de charol, a veces eran del Trinidad Reyes, de uniforme gris, o de la Misión Evangélica, de color café y verde.

Desde que su esposa lo había dejado por el dueño de la fábrica de embutidos "La Triestina", ubicada frente a donde vivía, la perrita era toda su familia.

Cada vez que salía a la calle el "Triestino" se asomaba

de su negocio y se reía de él.

Sonó el teléfono. Pero no era el doctor sino el amigo diciéndole que la perrita ayer se había extraviado. La habían buscado por todos lados y nada.

No había ni soltado el teléfono cuando entró la segunda llamada. El médico le dijo que lo quería ver; algo malo había en los exámenes y le hizo entender que se trataba de algo irreparable.

Sacó del armario una Smith Wesson calibre 32 que había sido de su abuelo, la puso en el maletín después de asegurarse que tenía los seis cartuchos cargados.

Tocó el timbre de la vieja puta en el piso de abajo, ella desconfiada abrió solamente un poquito la puerta. Él aprovechó para meter el cañón del revolver, casi no hubo ruido, la vieja puta se aflojó al piso; cerró la puerta y salió a la calle.

Afuera de "La Triestina" estaba el hijueputa sonriendo; cruzó la calle y entró, no había nadie.

"¿Que desea?" preguntó el hijueputa aún sonriendo, con el cuchillo de la mortadela a la vista, en la mano.

Abrió el maletín, sacó el revolver y le metió un balazo en la frente, el hijueputa se desplomó detrás del mostrador.

Se dirigió al banco, entró por la puerta de los empleados, él tenía la llave, nadie lo vio, subió al segundo piso, tocó la puerta del gerente y entró.

El hijo de la gran puta estaba en su escritorio sentado con un bolígrafo en la mano derecha y un puro cubano en la izquierda.

Puso el maletín sobre el escritorio, lo abrió lentamente, el gerente sorprendido nada pudo hacer cuando el tiro se le estampó en la frente, quedó sentado en el escritorio con el puro y el bolígrafo en las manos respectivas.

Bajó y salió a la calle, no encontró a nadie.

Frente a su casa estaba el carro de la morgue y un vergazo de gente viendo que levantaban el cadáver encontrado adentro de "La Triestina".

Entró a su casa, el culo le había dejado de arder, se sentó pensativo, escuchó ladrar, la perra estaba feliz detrás de la puerta. Al rato lo llamó su médico, le pedía perdón pues se habían equivocado de exámenes, le habían entregado los de otro paciente.

Todos los valores resultaban perfectos.

Cacería

En aquellos tiempo los fines de semana solo se podía ir de cacería, de pesca o quedarse en la casa a chupar.

Fue la primera y la única vez que quise probar a ir de cacería.

En la paila de un pickup iban los perros con Reynaldo y su viejo sombrero Stetson, el que nunca se quitaba; las malas lenguas decían que dormía con él, que pisaba con él y había dejado de ir a la iglesia para no tener que quitárselo, eso desde el remoto día que se lo habían obsequiado. Reynaldo vivía con los perros, para los perros, y también los echaba.

Me recogieron en la casa en la madrugada. Yo tenía un 3030 Winchester prestado pero sabía que no iba a disparar, por mi parte los venados podían sentirse seguros. Esperaba que pasaran cerca de mí ya que los iba a perdonar, pero no fue así, dado que los tiradores expertos hijueputas me pusieron donde sabían que no correrían los venados.

Escuché nada más los perros ladrar, después los tiros y al rato el pito de Reynaldo que llamaba a los perros. Cuando bajé al río los venados habían sido ya destazados, los perros se habían hartado las tripas.

Para nada me había llenado de garrapatas.

Mis compañeros eufóricos no querían regresar a sus casas, querían quedarse en un restaurante a comentar la cacería y echarse unos tragos.

Nos paramos a unas dos leguas del pueblo en un lugar que se llamaba "La Dolce Vita", donde las meseras eran de doble propósito, meseras y putas.

Quería regresar temprano a la casa y estaba arrepentido de no haber llevado mi carro para largarme en cualquier momento ya que no era aficionado a la chupa y sabía que mis compañeros juntos y a verga podían hacer cualquier locura, además esa noche en el cine Tropicana presentaban la película de 007 "Doctor No". Quería verla desde hace mucho tiempo.

Me acuerdo de las caras de todos ellos pero se me olvidaron los nombres. A uno le decían Sapito, había un Camilo, un Jorge, de los otros nombres, nada.

Los perros descansando afuera en la sombra con Reynaldo y su Stetson y nosotros en rueda chupando. En eso llegó David, el dueño de una fábrica de embutidos.

Llevaba una tamaña mortadela para entregarla a la dueña de la cantina. Lo hicieron sentar con nosotros a la fuerza ya que todos lo conocían.

La dueña de la cantina cortó una tajada de la gran mortadela en triángulos, les clavó unos palillos y la puso en la mesa, todos se sirvieron menos que David.

Jorge empezó a joder que David no quería comer de su propia mortadela. Como andaban bien prendidos por los tragos, a huevos querían que comiera, hasta que lo agarraron entre todos y le metieron pedazotes de mortadela en la boca; cuando al fin se soltó, empezó a vomitar y salió a la carrera.

El pobre era judío y no comía cerdo pero en el pueblo estalló la noticia que en la fábrica de embutidos en la mortadela le echaban carne humana de negro.

Chepe

Estaba C.G. bien a verga chiviando en la mesa que los chinos armaban todos los años en la feria de Villa Florida para los juegos de azar.

Detrás de la faja del pantalón, camisiada bajo la guayabera, guardaba una escuadra Llama española en calibre 22, muy mala arma. La tenía montada y sin seguro, un descuido que no era cosa de él.

Me contó después que sintió como que alguien le empujara el culo. Al darse vuelta vio dos negros tras de él y los regañó, "No jodan ustedes" les dijo y siguió chiviando.

Como andaba bien prendido no escuchó el ruido ni se dio cuenta que la escuadra, disparándose, le había rozado y hecho estallar la bolsa de los güevos, hasta que sintió la sangre que caliente chorreaba por las piernas. Le dio la culpa a los dos morenos, se dio vuelta, sacó el arma y trató de disparar pero el arma estaba enconchada.

Al fin logró disparar pero no pudo montar el siguiente cartucho. Los negros se la pelaron volados.

Al bajarse el pantalón y al verse los güevos desnudos me pidió que lo llevara a la clínica del doctor B.

Después de una larga reconstrucción de la bolsa de los güevos, el doctor, gran bromista y ganadero, mandó a capar y a traer un par de güevos de un ternero de su hacienda, que colocó en la mesita al lado de la cama, adentro de un bote de vidrio con alcohol, para que al despertar de la anestesia C.G. los viera.

Despertó, los vio. Los suyos se le habrán chupado al estómago. C.G. sintiéndose sin güevos, él, que era tan orgulloso de tener 27 hijos por fuera y todavía hubiera querido tener más, quiso salir a la carrera del hospital rumbo a su casa a meterse un tiro en la cabeza.

A tiempo lo detuvimos, pero cuando supo que era una broma, ahí mismo quería meterle un balazo al doctor B.

Me costó hacerle entender que B. había trabajado muchas horas para salvarle los testículos.

C.G. dicen siguió teniendo hijos, dejó de beber y chiviar, botó la escuadra al río y se compró un revolver.

Doña Julia de Ayestas

Doña Julia de Ayestas, una de las damas más conocidas de la ciudad, casada con el presidente del banco de la República, hogar hermoso en la carrera 46 de Barranquilla, estaba orgullosa de su hijo Juancito, muy deseado entre las quinceañeras, estrella del equipo de basket del Instituto La Salle, mal estudiante, más alto que los coetáneos, bronceado, de pelo negro colocho y de ojos verdes, y sin saberlo, a veces protagonista de fantasías eróticas de algunas de sus amigas, damas de la buena sociedad.

El presidente del banco hubiera querido que el hijo estudiara administración de negocios pero al muchacho las matemáticas no le gustaban para nada. Además en el futuro pensaba inscribirse en la escuela de aviación para trabajar como piloto.

El profesor del colegio mandó a llamar a doña Julia; el muchacho debía ser ayudado con las matemáticas o probablemente aplazaría.

Consiguieron una profesora. Ella llegaba en las tardes a dar clases a Juancito, era una mujer joven, anteojuda, de pelo estirado para atrás, muy profesional hasta en el vestir, pero un ojo experto no podía no darse cuenta que era un gran cuero, tetas, culo, piernas, una piel blanca, todo muy sensual, parecía desperdiciada dando clases de matemáticas, más bien era hecha para la cama.

No podía saber doña Julia que a la profesora parecía que le gustaban las pijas y tenía interés en probar toda verga que se le ponía en frente.

Al quitarse ella el suéter, la mirada de Juancito como miel colaba sobre el escote de la profesora y el perfume de ella lograba que su mente se perdiera en fantasías inconciliables con los axiomas de Euclides.

No pudo resistirse Juancito. El tufo a mujer que llenaba el cuarto cuando ella llegaba le impedía de pensar en los números, hasta al punto que no pudo evitar de manosear a la profesora.

El valor no le faltaba a Juancito que, engrandecido y

exaltado por sus éxitos con las quinceañeras, le puso una mano en la pierna.

El sopapo que esperaba, y listo para esquivarlo, nunca llegó, más bien llegó una mano experta al zipper de la braqueta, pero sentados uno frente al otro no podían alcanzar los lugares sensibles.

Se sentaron en el Chaise longue méridienne con ella al lado de él para poder fácilmente llegar a la verga.

El quedó placenteramente sorprendido al enterarse que bajo la falda ella no llevaba calzón.

Juancito salía feliz de la clase, pero no estaba satisfecha la profesora. Quería un lugar más cómodo para explicar mejor sobre la geometría, la circunferencia y el triángulo.

Llamó por teléfono. Se había golpeado la rodilla y ahora Juancito debía tomar clases en su casa.

Las matemáticas quedaron olvidadas, y luego de un tiempo, queriendo averiguar sobre los escasos progresos de Juancito, el presidente decidió ir personalmente a visitar a la profesora a su casa. Ella lo recibió "desabillè", en una bata que nada escondía, bata que por pura casualidad se fue al suelo dejando a la profesora en pelota…

Nada más perturbador, un cuerpo tan provocador, tanto que al hombre se le olvidaron las matemáticas y no se sabe como, terminaron en la cama.

El presidente hacía una vida como tren sobre rieles: de lunes a viernes en el banco de nueve a doce, luego para la casa a almorzar, en la tarde volvía de tres a seis al banco, menos los jueves que se desplazaba al trabajo en taxi (decía que era para las compras de su señora, en realidad los jueves se echaba sus tragos y no quería manejar), salía del trabajo a las doce, comía los sandwiches de pollo que le preparaba la esposa y en taxi se movía para el Country Club del golf Sabanilla donde a veces jugaba, cenaba, y se quedaba para el poker hasta las once de la noche.

El viernes en la noche salía con la esposa a un restaurante, luego cine o teatro, al regreso en la casa se echaban unos traguitos y después en la cama echaban un polvo, siempre de manera "clásica", con nada de fantasía, polvo de obligación.

Un amigo de poker decía que después de veinte años de casados echar polvos con la esposa es como rasurarse, hay que hacerlo pero no es gratificante.

El domingo en la mañana el segundo polvo, siempre en forma clásica pero un poco mejor como suelen ser los de la mañana, cuando a saber porque unos se despiertan con la verga bien parada.

Doña Julia se conformaba con dos polvos semanales. Pero la atracción elemental hizo que el presidente quedara hechizado.

Las pruebas empíricas de la pija presidencial seguían y la rutina de doña Julia quedó dañada. Los dos polvos semanales con la esposa fueron cancelados; ese era un derecho inalienable por costumbre adquirida.

Julia estaba alarmada, un perfume ajeno que el presidente llevaba encima los jueves por la noche, en lugar del olor a alcohol acostumbrado, era prueba irrefutable de la traición.

Las únicas horas que no lo podía controlar eran las del club del golf los jueves.

Escondida en un taxi frente al banco lo vio salir a las doce. Un perro negro lo esperaba ansioso frente al portón. Él le quitó el papel a los sandwiches y se los arrojó al perro.

Ella lo siguió hasta la casa de la profesora.

Perder el esposo quería decir perder una posición social y la seguridad económica, además de los dos polvitos semanales ¡Ni pensarlo!

Un jueves en la mañana, de una cajita de caoba forrada en terciopelo rojo sacó la Colt 45 ACP modelo 1911, enchapada en oro y con mejillas de marfil, obsequio de un narco a quien el banquero había facilitado un lavado millonario, y se presentó en la casa de la profesora de matemáticas; apuntándole la escuadra la dejó bien amarradita sentada en una silla en el servicio con un trapo en la boca y una cinta para que no pudiera gritar.

Dejó la puerta abierta, corrió las cortinas del dormitorio para oscurecer todo lo más posible. Se metió en pura carne a la cama y esperó.

Tenía tantas ganas el presidente que debía haber empezado a desvestirse en el taxi, cuando llegó al cuarto estaba en calzoncillos.

Después de un polvo espectacular, con cambios de ritmo, cumbia, vals, tango y merengue, con tantas posiciones que se hubiera podido utilizar para publicar una nueva edición actualizada del Kamasutra, se fue para el servicio. Ahí encontró a la profesora maneada y con bozal. Se quedó un rato pendejeado. Eso le dio tiempo a Julia para medio vestirse y salir de la casa.

Luego de soltar a la pobre, al salir encontró en su carro, sentada en su interior, a Julia.

Ninguno de los dos habló.

Todo volvió como antes, nada más Juancito perdió las clases de matemática y lo aplazaron.

Julia recobró sus dos polvos, y uno, el del viernes, espectacular.

El Diablo

El Padre Valladares, un cura salesiano que curaba las almas de los estudiantes del colegio La Salle de San Pedro Sula, al enfrentarse con el diablo salió derrotado.

Unos estudiantes del colegio reportaron en la confesión del sábado que el domingo después de comulgar se iban adonde una puta en el barrio Concepción, invertían el capital y seguían con los intereses pajeándose toda la semana hasta el sábado cuando volvían a confesarse, a comulgar el domingo y en la tarde volvían a la casa del barrio Concepción y así todas la semanas surgían unas irresistibles ganas de pecar que ni buenos consejos ni la amenaza de contraer alguna gonorrea no lograban de ninguna manera parar.

Para enfrentarse con el demonio hay que conocerlo. El padre empezó a pedir detalles a cada uno de los que llegaban a la confesión.

Como un rompecabezas venía reconstruyendo a este diablo.

Pelo, ojos, tetas, culo, piernas, el como, los tiempos, las maneras, los preámbulos, las posiciones, si acostados, si sentados o de pié, los ritmos, con luz artificial o natural, con o sin música, rítmica o melódica, hasta el color de las sábanas.

Tenía que averiguarlo todo acerca del enemigo. A él, al padre, habían confiado las almas de la mejor juventud de San Pedro, futura clase dirigente, la hipoteca del pueblo; no podía echarse para atrás. Decidió incautamente enfrentarse con Satanás.

Compró una camiseta de colores, un par de jeans y un par de tenis, no podía llegar vestido de cura, rezó toda la mañana para agarrar valor, el chofer de taxi que lo llevó le aconsejó tener cuidado ya que en aquella casa habían matado a varios.

Como un soldado que va al ataque decidido, tocó la puerta.

El diablo se le mostró en cuerpo de mujer, en pelota. Todo el cuarto estaba saturado del olor de su intimidad, un olor a paraíso, a los bosques de Italia en primavera.

No estaba en cueros, tenía solamente un collar de perlitas coloradas, una cabellera de colochos dorados, unas tetas paradas, unas piernas como columnas de marfil, todo un cuerpo tan provocador, tanto que un temblor estremecedor lo aferró. Al acercarse la mujer, se sintió inerme frente a una atracción irresistible y fatal: la resurrección de la carne fue inevitable; las últimas defensas se desmoronaron y después del galope final entre las piernas de la mujer pensó que todo eso tan sublime era la gloria, que ella no podía ser diablo, tal vez un ángel que Dios en su infinito amor por los hombres había enviado a la tierra. No podía estar en contra de todo esto.

Después de unos días de meditación decidió tirar el vestido de cura a la basura, hacerse pastor y fundar la Iglesia de la Rendición, la que predicaría la rendición a toda tentación de la carne: el sacrificio para llegar a la vida eterna.

La Sentencia Memorable

La esposa pensaba que el general estaba jubilado no solo de la armada: hace años parecía no poder ya cumplir en la casa; en realidad todos los jueves después del poker en el club de oficiales, el chofer lo llevaba a la Casa Rosada, la casa clandestina más lujosa, en la cumbre de la ciudad y que de clandestina nada tenía ya que era una verdadera institución, desde el gobernador al alcalde al jefe de la policía a la farándula, todos la frecuentaban, de gorra o fiado, además vendía una famosa paella para llevar, la mejor de la ciudad.

Nada que ver con las casas del barrio chino, más alegres pero mucho más peligrosas y cuando el general tuvo la mala suerte, o si queremos, la buena suerte de enamorarse perdidamente de una putita de 15 años y se la llevó para la casa con la idea de contrabandearla como sirvienta recomendada por un amigo, ella, la esposa, no tuvo nada por objetar.

Cuando la dueña se reunía con las amigas por algún aguinaldo o lotería benéfica o fiesta, el general como un ratón se metía al cuarto de las sirvientas y con la putita se sacaba el clavo.

El engaño triplicó cuando el hijo menor, quien todavía vivía en la casa de los padres, un día entrando en el cuarto de las sirvientas para buscar una camisa planchada, se topó con el inmenso culo del general en pelota encaramado sobre la pequeña puta.

El general, ocupado en lo mejor de su tarea y de espaldas, no se dio cuenta, pero la putita sí. El muchacho le sonrió y cerró con cuidado la puerta.

En la primera oportunidad donde nadie estaba en casa, el muchacho fue a cobrar el precio del silencio. Eso fue a plazos y con intereses, muy seguido, cada vez que se le presentaba la ocasión.

Todas las noches cobraba un capital que por pura casualidad la suerte le había regalado.

"Amor che a nulla amato amar perdona" (Dante Alighieri), la putita se enamoró perdidamente del muchacho hasta que empezó a negarse a las órdenes del General.

No era completamente tonto el viejo, y sospechando del hijo colocó harina frente a la puerta del cuarto de la sirvienta para evidenciar cualquier rastro de intrusión y así tuvo la prueba irrefutable que su hijo sin permiso disfrutaba por las noches de un bien que le pertenecía por derecho y por completo.

La señora no entendía el motivo del verguero que se armó entre el general y el hijo. Ella suponía que era por el uso de un carro Pontiac que el General tenía guardado desde el tiempo que era subteniente y no le permitía al hijo manejar.

Cuando la generala se enteró de la verdadera razón del pleito, a la puta la regresaron a la Casa Rosada, el hijo se fue a vivir por su cuenta, llevándose el carro Pontiac. Y el resto volvió a la normalidad, lo único es que el general fue sentenciado a cumplir en la casa por lo menos una vez por semana, fijo los jueves.

Hortensia Paz

Hortensia Paz había vivido jovencita una historia de amor abrumadora e incontrolable con un extranjero de una misión humanitaria que al irse la dejó panzona y le dejó también en pago de prestaciones una casita en el barrio que le decían del Chorizo, eso antes que el alcalde decidiera establecer el basurero municipal dos cuadras abajo.

El corazón destrozado de Hortensia nunca logró recuperarse, y a pesar de ser una mujer guapa y deseable no quiso juntarse con otro hombre.

Trabajaba duro para criar a la hija que le había dejado el hijueputa que la había preñado y luego desaparecido, destrozando de esa manera su futuro sentimental, algo muy frecuente en las mujeres latinas.

En cambio las gringas abandonadas solo un ojo tienen para llorar; con el otro buscan a ver quien se consiguen nuevamente.

A medida que el hedor del basurero prosperaba, los que podían se largaban.

Quedaron unos pocos artesanos, un carpintero que tenía una fábrica de trocos que alquilaba a los vendedores de naranjas, un taller, unos albañiles, una costurera de harapos, muchos pachangueros, la trucha de doña Brovelia, la que exhibía un rótulo que decía: "SE INYECTA Y SE SACA SANGRE", un zapatero que se dedicaba a redimir los zapatos hediondos recuperados del basurero, muchas putas de tercera categoría, putas viejas y feas para el uso de pobres y de menores de edad, ya que el gobernador político tenía nietos y no permitía a los menores frecuentar los burdeles.

En la casa de lujo donde se reunía la arcadia de los políticos y los de altos grados militares trabajaban las putas de altura, las de primera clase, casi todas menores de edad, ya que la ley en contra la prostitución de menores para estos valía menos que la mierda.

Después de ser usadas, usuradas y abusadas las putas graduadas pasaban a los burdeles del barrio Comajón y al renombrado burdel de la negra Eufemia, el "Seven y Eleven".

Descartadas acababan en el Chorizo.

Ya que la empacadora de carne se deshacía de los desperdicios en el basurero, muchos zopilotes y perros callejeros se dedicaban a procesar la basura.

Una colonia de cipotes abandonados o huérfanos vivía dentro del basurero rebuscando todo lo que se podía vender, principalmente cartones, fruta podrida, cáscaras de piña y de guineo para alimentar una destilería clandestina estratégicamente colocada por donde terminaba la calle, destilería que estaba bien protegida por el olor nauseabundo a podredumbre del basurero y que igual tapaba el olor de las narices de la policía y a la vez producía "Gato de Monte", un guaro puro vodka, el mejor de todo el país.

Hortensia llevaba a la hijita a la escuela, después recogía ropa para lavar en las mansiones del otro lado del ferrocarril, la lavaba en el río de piedras que bajaba del cerro, agua limpia pero algo helada, luego recogía a la cipota en la escuela, y en la casa se dedicaba a planchar con una plancha de carbón ya que en el barrio aún no todos tenían luz eléctrica.

La cipota crecía como un esplendor, por todos los lados le echaban los perros pero igual la mamá estaba para defenderla como perro ovejero.

Melida, una vieja ex puta divorciada de un gringo, la rufiana del barrio, la que decía arreglar matrimonios con gringos ricos cuando en realidad vendía muchachas para las casas de putas de lujo de Panamá, y además conseguía cipotes para saciar viejos pedófilos embramados, tenía el encargo de un empresario suizo que estaba dispuesto a pagar bien por el antojo de desvirgar una virgen. Intentó con el regalo de un collar de perlitas coloradas, junto a muchos elogios, viendo lo que le podía sacar a tal belleza.

Hortensia fue a visitar a Melida, que equivocadamente husmeo un buen negocio pero en cambio consiguió un navajazo en la cara, con la promesa que la próxima vez que se arrimara a su hija le iba a cortar la garganta.

El zapatero se encargó de costurarle la cara con hilo encerado delgado, utilizado para costurar zapatos; el resultado fue mediocre.

Melida quedó marcada y juró vengarse.

La niña fue raptada en un día de feriado en el que

la escuela estaba cerrada y Hortensia estaba lavando en el río; al regresar y al no encontrar a la hija se puso como loca.

En la casa de Melida encontró a la hija drogada, empacada, lista para ser metida en un taxi.

Lo que quedaba de Melida amaneció en el basurero; los cutes dejaron poco.

Resurrección

Divorciarse de una mujer puta es una verdadera liberación.

Como se había metido y luego casado con una mujer puta ni se acordaba, pero ahora, en su viaje hacia California en bus, sentía que todo quedaba atrás, se sentía libre, eufórico, abierto hacia una nueva vida.

Dicen que en California se puede encontrar suerte y fortuna.

Había respondido telefónicamente a un anuncio; ofrecían un cuarto a precio barato en La Joya.

La voz de una mujer anciana contestó, quería saber sobre él; le contó que tenía 23 años, que era escritor y que estaba trabajando en una novela para una serie de televisión, ella le confirmó que esperaría su llegada antes de alquilar el cuarto a otra persona.

Quedó sorprendido al llegar, era una mansión de millonarios, la anciana fue muy atenta, le enseñó el cuarto, mucho mejor de lo que podía esperar aun siendo optimista, además la señora, una verdadera dama, ofreció proporcionarle la alimentación y le lavarían también la ropa.

Algo mejor no hubiera podido esperar, se podía dedicar a su novela sin ningún problema.

Un día llegó muy afligida la dueña. Al plancharle una camisa se le había quemado; le llevaba una camisa muy poco usada en cambio de la dañada.

A los pocos días fue el pantalón, le había echado cloro la sirvienta pero le ofrecía un pantalón poco usado, que en realidad era mucho mejor del que se había arruinado.

La vaina siguió, el suéter lo habían metido por equivocación en la lavadora a 90 grados y ahora estaba bueno como trapo para limpiar, estaba listo un suéter de cachemir de los de quinientos dólares, y así poco a poco toda su ropa había sido destruida y cambiada por otra usada, pero en mejor estado.

Tanta coincidencia debía haberlo hecho reflexionar, al escritor.

La pasaba muy bien. En la mañana trabajaba en su cuarto, por la tarde a veces se sentaba a platicar con la dueña, tratando de saber más de ella – la curiosidad del escritor: están siempre en busca de alguna idea para sus personajes, pero nada le podía sacar.

En una gaveta en su cuarto encontró una navaja de marino de las que llevan además de la hoja un pasador de aguja para empalme, un 'marlinspike", el primer indicio que el dueño de la ropa que llevaba puesta era un velista.

Un día que quería ir a cortarse el pelo la vieja se ofreció para ello; se sentía demasiado agradecido con la señora para decirle que no, y a pesar de que hubiera preferido la barbería ya que el corte podía resultar un desastre, aceptó.

El pelo fue lavado, cortado y peinado con el partido a la izquierda mientras que él se peinaba hacia atrás. Se vio en el espejo y le gustó, le quedaba bien.

El asunto se ponía cada vez más extraño. El día nueve de junio, a la hora del desayuno, encontró en la mesa un queque con velitas. La señora insistió que era su cumpleaños, lo llevó al garaje y le regaló el carro

Camaro SS modelo 2000 que ahí estaba guardado a saber desde cuando.

Dedicó unas horas al día leyendo los periódicos en la biblioteca del condado, comenzando desde el año de la matrícula del Camaro. Al fin encontró que en una tormenta en el Pacífico meridional, a mediados de junio, había naufragado el yate Nina y que los tripulantes, una familia norteamericana más un amigo – el hijo de la vieja – habían desaparecido. Ella, con la esperanza de que el hijo apareciera, nunca había comunicado al condado su muerte.

Era el hijo de la señora que alquilaba el cuarto, el que ella, como un rompecabezas, estaba reconstruyendo.

Después inició con los papeles, la licencia de manejar con el nombre del hijo, el pasaporte, la partida de nacimiento.

Ahora era hijo de la señora y quedaría, después de su muerte, dueño del patrimonio.

Una tarde percibió un sabor extraño en el té que tomaba siempre a las cinco de la tarde junto a la señora, mientras le leía las últimas páginas de la novela que estaba escribiendo.

No logró terminar y se fue a la cama con un gran

sueño.

Se despertó dándose cuenta de que estaba maneado a la cama; la vieja loca le dijo que estaba muy enfermo, que se estaba muriendo, que lo enterraría en la tumba junto a su esposo para poder llorarlos juntos.

Entendió que la loca había reconstruido a su hijo para tener así un cuerpo en la tumba para llorar. No podía llorarlo en una tumba vacía.

O estaba muriendo envenenado o de alguna manera lo mataría, capaz apuñalado…

Suerte que la vieja no tenía experiencia en manear, logró liberar una mano y de la gaveta sacó la navaja de marino, se soltó del todo.

La encontró cuando iba bajando de la escalera, largándose. Ella trató de pararlo, él la empujó y ella se derrumbó de las escaleras, se rompió el pescuezo pero quedó viva.

Llamó a la ambulancia, aturdido.

Ella estuvo una semana en coma, y él estuvo cerca de ella en el hospital, peinado con el partido a la izquierda, hasta que ella murió.

Un Caso para el Teniente Luque

El cadáver amaneció chuña en el barrio Concordia.

En la cartera al lado del cadáver no había ni dinero ni tarjetas de crédito.

Al revisar los documentos resultó ser Emilio M. M., poderoso presidente del Banco de Oriente y dueño de las más importantes empresas del pueblo, un hijueputa mafioso, tramposo y sin vergüenza.

En los tiempos de la guerra con El Salvador había levantado su capital delatando y comprando a precio de gallo muerto los bienes de los salvadoreños que se fugaban del escuadrón.

¿Qué estaría haciendo en el barrio Concordia, una

lotización de más de mil casitas, todas de cemento y toditas iguales? ¿Acaso una clase media se estaba formando en el pueblo?

Además el presidente del banco nunca salía sin su carro blindado y su escolta de asesinos, él, quien para levantar su capital había jodido a muchos y hecho llorar a muchas viudas.

El Alcalde pidió al Gobernador que enviara al más vergón de los investigadores, uno que fuera desconocido en el pueblo para que no lo pudieran manejar.

El teniente llegó de la capital bien arreglado, de saco y corbata, parecía un actor o un hombre de negocios, vistiendo una ropa hecha más para la primavera que para las oficinas de la capital y los calores de la costa.

La misma mañana la policía andaba interrogando lustreros y taxistas.

El levantamiento se retrasó. No se lograba localizar el paradero del juez hasta que lo encontraron a las once de la mañana fondeado y de goma en el burdel de la negra Eufemia, en el Comajón, tres cuadras abajo del ferrocarril. Se había dedicado a chupar desde que se le fue la mujer con un aventurero gringo de los que llegan al país a buscar oro, y tenía una semana de haber agarrado pata.

A las doce de la mañana un pordiosero pachanguero trató de cambiar en una trucha una tarjeta de American Express por un galón de "vino santo", un vino barato que de uva no tenía ni mierda. Por su precio era muy popular entre los pachangueros, los que a veces, igualmente por barato, se metían alcohol desnaturalizado, "curado", como decían ellos, con Coca Cola y limón.

Todo el mundo estaba enterado ya de lo sucedido y aceptar el canje era condenarse solos a una gran vergueada por parte de la policía.

A las doce y veinte el pobre terminó en la oficina secreta del D.I.N.

Le repasaron la espalda con un mecate mojado, después lo pasaron a la máquina de la verdad: dos electrodos a los testículos conectados con un electromagneto. En el tocadiscos, un bolero de los Panchos a todo volumen para cubrir los aullidos, así podían recuperar la memoria hasta a los que padecían de amnesias, recordaban de esa manera el como, el cuando y el donde.

La verdad era que el pachanguero había encontrado el cuerpo a las cinco de la madrugada cuando andaba buscando entre la basura con la esperanza de cacharse algo para conseguir un trago.

Había sacado de la cartera dinero y tarjeta y se había cachado los zapatos. La policía le pegó otra gran vergueada, le quitó lo zapatos y lo dejó ir.

Al fin a la una y media el juez, gracias a dos tazas de café, una Alka Seltzer, dos Mejoral y una cerveza helada, quedó casi nuevo y apareció.

Desde el levantamiento el cuerpo fue transportado a la morgue para la necroscopia según ley.

La cara machucada y molida estaba tan hecha paste que solo un hombre fuerte, con un martillo o algo pesado, hubiera podido hacer mierda la cara sin cansarse.

No podía haber sido una mujer y para un asesino encargado de matar tampoco tenía mucho sentido ensañarse de esa manera.

Deducción: Homicidio por odio.

Tenía que ser un hombre fuerte, un estibador, un chapeador, un carbonero, nadie que vivía en la colonia.

En la morgue aparecieron dos detalles importantes:

el presidente llevaba puestos unos calzones de mujer, finos, color negro, de encaje, y un condón en el culo.

La viuda, inconsolable y sorprendida, llorando con un ojo y con el otro echándole los perros al teniente, reconoció sus calzones. No les contó que anteriormente había sopapeado a la sirvienta, segura que los había güeviado ella.

Visitar mil doscientas casas de la colonia Concordia en búsqueda de un marica, por lo menos demoraría unas dos semanas, casa por casa, además la gente desconfiando de la policía, a pesar de los modales suaves del teniente… eso era una gran jodida.

A las dos semanas el teniente Luque al fin la pegó. Un joven que se declaraba boxeador, pelo musuco oxigenado, con casa limpia y bien arregladita, que vivía solo, llevaba ropa demasiado fina, muy ajena al barrio, además raro para alguien sin trabajo.

Al teniente le gustaba vestir bien, sabía reconocer un par de zapatos Florsheim y un cachemir de quinientos dólares.

En el allanamiento encontraron entre las pesas de culturista una manchada de sangre.

En las oficina del D.I.N. le pusieron la máquina

de la verdad. Parece que al presidente le gustaba a menudo "hacerse mujer" y le había concedido casa y dinero en pago de sus prestaciones, pero cuando se negó a comprarle el carro Camaro en venta en un auto lote del centro, le despedazó la cara.

Del boxeador nada más se supo, nunca existió.

En los periódicos salió que se había tratado de un trágico intento de secuestro.

Baby Doll

Por fin, después de muchos meses de gentilezas, restauro, peluquero, tinte de pelo para esconder las incipientes cañas, tratamiento para adelgazar, hambre, ayunos, gimnasio, el maquillaje, o mejor dicho, la larga restauración cotidiana para esconder el colapso del tiempo...

Y el busto, esa una verdadera tortura, buscando de remodelar las caderas, algunos vestidos con audaces escotes, poniendo en muestra el prosperoso seno, su punto de mayor atracción, muchos sacrificios, el miedo de perder el último tren, y por fin, el éxito...

Él vendría a cenar.

Ahora, había que jugárselo todo y lograr el propósito, echarse en casa un hombre antes de que sea muy tarde, ahora o nunca más, por fin, todo como debía ser...

Cena a luz de candela, música romántica de fondo, comida afrodisíaca sugerida por las amigas, champaña Francesa Dom Perignon, luces rosadas y veladas para mitigar las averías del tiempo, palitos de incienso para esconder el olor de la cocina y luego el Baby Doll color albaricoque como toque final, irresistible según la dependienta de la boutique más a la moda de la ciudad, decisión que le había costado no poco tomar, carta ganadora, total, de desenfundar en el último momento.

Todo era perfecto, la cena, luego la platicada en el sofá, tomando el cognac, algún beso y muy alentador, alguna caricia audaz, ahora, el ejercicio más difícil, ella se retira al dormitorio, se pone el Baby Doll color albaricoque, se retoca el maquillaje, una pasada de cepillo en el pelo, alguna gota de Chanel N.5 atrás de las orejas, mientras lo imagina trepidante en espera, entra en escena...

Lo encuentra despatarrado sobre el sofá: duerme con la boca abierta, con las piernas abiertas con la cabeza para atrás y ronca ruidosamente.

Una furiosa cólera se adueña de ella, se lanza sobre

el desafortunado, con cachetadas y puños, luego también patadas...él se despierta bajo los golpes, no entiende, se levanta trastornado...alcanza la puerta... huye por la calle...

Rosalina, Viuda de Muñoz

A Rosalina, Armando siempre le había gustado, desde la escuela secundaria, era bello: su sueño era casarse con él y cuando Armando se fue para México a estudiar odontología ella lo esperó por seis largos años.

"Il bell'Armando" regresó bien casado con una mexicana flaca, ella también era dentista.

Rosalina se desesperó y se casó con Evaristo Muñoz, quien le echaba los perros desde hace tiempo, era un hombre mayor, montuno, ganadero, de los que le gusta el ganado ajeno.

A Evaristo se lo echaron de un escopetazo mientras arreaba ganado robado hacia sus corrales.

Mientras se rebuscaba un nuevo esposo la viuda se consolaba con hombres casados, sus dos polvos semanales para sacarse el clavo como medicina para curar la neurosis generada por el miedo de perder el último tren antes de volverse anciana y quedarse sola.

Los hombres casados son los que no hablan ya que tienen mucho que perder.

Pero no todos son de confianza, los que les cuentan todo a los amigos son peligrosos ya que en un pueblo pequeño es fácil caerse y luego es imposible remontar cuando se alcanza la fama de puta.

La esposa de Armando se enfermó y la viuda de Muñoz se dedicó a atenderla hasta el final, se hizo cargo del velorio y del entierro, e igualmente se dedicó a acorralar a Armando hasta que cayó.

Una tarde lo invitó a la casa, después de cenar, luego de años de espera, pudo abrazarlo, husmearlo, manosearlo, besarlo, era el paraíso.

Empezó a desvestirlo pero cada vez que sus manos se acercaban a la bragueta, el hombre se ponía tieso y se retiraba, a pesar que el bulto debajo de los pantalones era prometedor.

Al fin se rindió Armando, amarga sorpresa, el gran bulto era por una pija doblada en dos, larga y delgada como la de los chivos.

El polvo fue decepcionante, doloroso y rápido. Con eso se quebró un sueño, se acordó que en el colegio los compañeros le habían puesto el apodo de "manguera".

A veces los dioses cumplen los deseos de la gente únicamente para burlarse.

Henry

Henry era la estrella del fútbol de la universidad de Florida, donde había llegado más por futbolista que por esmero en sus estudios. Era también el más deseado por las estudiantes.

Rubio, de ojos azules, tamaña verga, hacía estragos de corazones y a las buenas las había ya probado todas.

A Henry le llamaba la atención una muchacha, estudiante de letras y filosofía, que tenía una gran verga de carro, un Chevrolet Camaro SS convertible rojo. A ella le echó los perros aunque la muchacha en realidad lo único que tenía de bueno era el carro, bajita, culona, de cejas unidas, las que sugerían su origen Palestina-Centroamericana.

La muchacha estaba feliz ya que además del carro podía lucir la mejor verga de la universidad de Florida.

Para Semana Santa invito a Henry a pasar unos días en San Pedro de Oriente en la casa de sus padres.

Los padres, unos turcos paquidérmicos, se horrorizaron; los turcos se casaban solamente entre ellos. Pero Conchita era hija única, consentida y mandaba.

Henry que de su lado no tenía ni mierda, cuando se dio cuenta que era la familia más adinerada del pueblo, decidió por soltar el braguetazo y no tardó en entregar las armas, con petición formal de mano, entrega de anillo y boda dentro de un mes.

Después de dos hijitos Conchita empezó a parecerse a la mamá, echó un gran culo y una gran panza, tanto que a Henry le era difícil cumplir con sus deberes de cama, pues ya no encontraba el camino.

Conchita le daba vitaminas y le echaba mucho chile en la comida, dicen sirve para una pija desganada.

No le faltaba nada a Henry, carros deportivos, moto y hasta una avioneta le consiguió la esposa con tal de tener el derecho exclusivo de ser la dueña su tranca.

Henry sabía que su bienestar, sus carros, sus motos Harley y su avión estaban en equilibrio en la punta de su verga y si no se portaba bien, todo se iba a desmoronar como castillo de naipes.

Sin embargo se metió con la viuda de Muñoz, una mujer guapa, enterita, que estaba en busca de otro marido después que al primero se lo habían aterrizado a escopetazos por ladrón de ganado.

Henry y la viuda, por distintas razones, no frecuentaban los metederos de moteles para parejas clandestinas, ya que alguien podía reconocerlos. Ella especialmente era por cuidar de su reputación en vista de un nuevo matrimonio.

Él tenia las llaves de la casita del Aeroclub pegada al campo de aviación, por ser el presidente, además había hecho al club la donación de un sofá. Del que ahora aprovechaba.

A Henry, por mala o tal vez buena suerte, la mujer terminó por entrarle en la sangre.

Muy seguido por la noche salía a tirar venado. Con la lámpara en la frente, en las noches oscuras era fácil no equivocarse, los ojos del venado no parpadean mientras que los de las vacas sí.

Salía de la casa con el rifle, la lámpara y todos los cachivaches que andan los tiradores. En cambio recogía a la viuda, ya que a los venados les tenía lástima, y se iban al Cacao, la pista del Aeroclub.

El primer polvo se lo echaban sin desvestirse a veces en el suelo, tantas eran las ganas. Al rato se echaban el segundo, más formal, sin ropa y más tardado, después Henry dejaba a la viuda en su casa. En la casa de Vicente compraba una pierna de venado que habían sacado del frizer el día antes, y se regresaba a la casa.

Cuando le tocaba la tarea de cumplir con la esposa tenía que pensar en la viuda para que se le parara la verga.

Una noche en el Cacao entre el primer y el segundo polvo escucharon el zumbido del motor de un avión que se acercaba.

En el fondo de la pista se prendieron los focos de un carro para iluminarla y una avioneta de dos motores aterrizó. Se fue a parar cerca de la casa del Aeroclub, de ahí bajaron unos hombres, cargaron unos bultos en la paila del carro de Henry, luego el avión se dio vuelta y despegó.

Henry había entendido que era coca, un descargo equivocado, y que estaban en gran peligro.

Arrancaron sin vestirse, dejó a la viuda en su casa y fue a meter el pickup en el garaje.

El día siguiente fue a ver a Melida, una vieja rufiana que en el pasado lo había sacado de un espanto consiguiéndole putas. Fueron a una bodega que ella tenía cerca del viejo cementerio donde guardaba las cosas que los paisanos empeñaban, descargaron la droga, él no quería tener nada a que ver con la coca. Melida en cambio estaba feliz de meterse en un negocio criminal que aún le faltaba.

Los dueños de la droga no se conformaron con perder un viaje de coca.

Llegaron unos matones de Colombia para investigar la desaparición de sus pertenencias y empezaron por los vendedores al detalle, los llevaban a una cantina con anexo burdel, que era propiedad de los narcos, los vergueaban pero no salía a relucir nada ya que Melida era chispa; no quería sacar la mercadería antes que todo se hubiera amansado.

De repente cuando la esposa del dentista Armando, una mexicana de piernas flacas que parecia pájaro, se enfermò, la viuda no quiso volver a ver a Henry alegando que quería dedicarse a la amiga muy enferma. Henry le dijo a Conchita que iba a ver sus padres en Florida por unos pocos días pero nunca volvió.

El Coleccionista

Al señor Lopez, dueño de un autolote y de un taller mecánico, lo encontraron sentado en el escritorio de su oficina, baleado.

Un hoyo en la frente, muy poca sangre había chorreado hasta manchar la pulcritud de la camisa de seda cruda hecha a la medida. El saco liviano de lino llevaba en la solapa una flor anaranjada, viva, Llevaba también una corbata delgada azul marino con estampa de flores amarillas.

Aun de muerto conservaba su estilo de narciso. A sus empleados también exigía que anduvieran vestidos decorosamente, de saco y corbata, nada de camisas de fantasía, además no contrataba gordos, ni viejos ni peludos ni pelados ni enanos, todos estaban bien tiraditos, ya sea en la ropa como en el cuerpo, así como fuera el set de una telenovela.

Vendía solo carros de lujo, que conseguía por todo el mundo; los arreglaba en su taller hasta dejarlos como nuevos.

También esta vez el levantamiento se atrasó. El juez andaba de goma, lo encontraron fondeado en el Seven Eleven por el burdel de la negra Eufemia, en el Comajón, dos cuadras abajo del viejo cementerio; desde que se le fue la esposa con un gringo se había vuelto patero.

Solo después de dos Alka Seltzer, dos tazas de café negro y una cerveza helada, el juez pudo recuperarse.

En la morgue encontraron una sola herida de bala en el mero centro de la frente, un calibre 22 disparado a quema ropa y que no permitió hacer ningún examen balístico, se trataba seguramente de un revolver, no se encontró ningún casquillo.

El teniente Luque, encargado de la investigación, al llegar al autolote pensó que el muerto debía haber sido marica, pero escarbando en su vida privada se dio cuenta que más bien era lo contrario. A toda mujer que llegaba ahí para comprar un carro, si no estaba tan mal, le echaba los perros.

Si la cosecha se volvía importante, para el negocio era segura pérdida, ya que a las mujeres guapas y dispuestas le aplicaba un descuento estratosférico con tal aceptaran probar la gran verga que escondía detrás de la bragueta.

Además, según los empleados, sus clientes siempre quedaban satisfechos. En el pasado nunca se habían enterado respecto a quejas. Se podía descartar la hipótesis de que hubiera estafado a alguien de la mala vida, a algún narco.

Era asunto de mujeres.

Los números de los sospechosos era algo exagerado, la lista de las mujeres que habían comprado un carro a buen precio en los últimos seis meses, o que habían recibido la gran tranca, era larga, entre solteras, comprometidas y casadas.

Era como un entomólogo, un coleccionista de mariposas, que las cazaba y después de clavarles su alfiler las guardaba en un tablero, un solo polvo y nada más.

Vendido el carro y probada la miel de la flor del jardín, todo terminaba.

Claro que muchas mujeres se habían hecho ilusiones, un hombre guapo, refinado, soltero y además muy bien equipado para las noches de amor, no es cosa de poco, además con una linda casa en la colonia Buena Vista y sin familia.

Merecía una lucha para tratar de enlazarlo, pero no había nada que hacer, era solo una vez, después se les deslizaba como anguila, nada más aceptaba esposas de una sola noche.

El teniente, en un cuidadoso allanamiento, encontró en una gaveta cerrada con llave un extraño diario con fechas, horas, con el color del pelo y de los hoyos, una clasificación de los polvos que iba desde buenísimo a bueno a medio, de escaso a malo.

Parecía asunto de un estudioso, de un naturalista o de un antropólogo.

En la cocina en la refrigeradora no había nada más que dos botellas de champaña "demi sec", el elixir del amor, un arma "definitiva".

Un verdadero profesional de la seducción, a sus clientes las llevaba a su casa para que estuvieran relajadas y se hicieran ilusiones.

En un closet cerrado con llave se encontró una colección de calzones de mujer, cosas finas de encaje donde prevalecía el color rojo y el negro.

Eran trofeos; la psicóloga de la policía, quien estaba pagada para hacer el perfil de los asesinos, un ser inútil, que además era creída y fea con ganas, había emitido sentencia indicando que el muerto debía haber sido un homosexual, un cripto-marica, de aquellos que no aceptan ni ante ellos mismos su homosexualidad y por eso tratan de coger con toda mujer que se les ponga en frente.

Una hipótesis sin fundamento.

Con la lista de los carros vendidos el teniente Luque empezó a visitar la armería, la venta de armas era monopolio de los chafas.

Encontró que en los días anteriores al delito la esposa del alcalde había comprado un precioso revolver K 22 Smith Wesson y nueve meses antes había también comprado ahí donde Lopez un carro deportivo Porsche Boxter de dos asientos.

La señora no era de ninguna manera apetecible, tampoco estaba para andar un carro Porsche Boxter y el señor Lopez no parecía ser de los hombres que profesan la religión de "toda carne al gancho", más bien era lo contrario.

La señora tenía una hija del primer matrimonio que en ese momento estaba en los Estados, eso por razones de estudio.

El teniente salió de viaje para los Estados, de ninguna manera podía llevar a la alcaldesa a visitar una casa de la verdad, donde el D.I.N., el Departamento de la policía investigadora, con la ayuda de un electromagneto y dos electrodos conectados en puntos estratégicos, testículos o tetas, según el sexo del cliente, y puesto en el tocadiscos, a toda galleta, un bolero de amor para cubrir los aullidos, al reparo de las orejas de los pendejos de Amnesty Internacional, los que siempre estaban jodiendo respecto a los derechos humanos, resolvían generalmente todo caso.

Los clientes cantaban el donde, el cuando y el porque de lo que se habían robado, en donde lo tenían y a quien se lo habían vendido.

La hija de la señora del alcalde resultó estar internada en un hospital, grave por un mal parto.

El teniente al regreso consiguió una cita con la señora, quien admitió que al hijueputa lo había sentenciado ella.

El Alcalde, un hombre poderoso involucrado con narcos, no quería un escándalo; el señor Lopez resultó haberse suicidado por tener un cáncer incurable.

Arturito

Debería haberse conformado con la esposa que tenía, una mujer rubia, hermosa, tetona y nalgona, con aquel poquito de gordura que no molesta y que a la mayoría de los hombres más bien les encanta, pero nunca lo dicen.

Arturito tenía un supermercado en la ciudad, manejado por la esposa, y una finca de café en el cerro donde pasaba por ciertas temporadas muchos días hospedándose en una casita que había arreglado dentro de la aldea.

De tanto verla alrededor empezó a tener ganas de acostarse con la muchacha que ahí lo atendía e intentó primero lograrlo con regalitos, hasta con dinero, después jurándole amor eterno. A pesar que a la jovencita Arturito gustaba, ella le tenía terror a sus padres, pues su hermana, la hija mayor, había salido embarazada de un chofer de bus que había prometido casarse con ella.

La cipota se dejaba besar y acariciar pero al momento de la verdad se ponía a aullar. De esa manera a Arturito más se le prendía el fuego de la pasión.

Los malos oficios de un cura que llegaba de vez en cuando a la aldea para bautizar y casar, y que recomendaba el sacramento del matrimonio, eran también un problema; ganas de meterle un tiro en la cabeza al cura tenía Arturo.

Un verdadero perro ese cura, cuidando la hortaliza que él no puede comer y no dejando tampoco comer a nadie.

Al final Arturo decidió jugarse todo por todo y apostó con los amigos que llegaría a "tomar la flor de ese jardín".

Consiguió prestada con el sacristán de la iglesia una sotana, utilizando el pretexto de una obra de teatro que se estaba armando.

Había en la ciudad un dentista exiliado de Nicaragua, borrachín y pijinero, que por un trago más hacía cualquier cosa.

Arturito y sus amigo lo vistieron de cura. A la aldea llevaron cajas de cerveza, guaro, carne para asado, hasta una marimba para armar el engaño del matrimonio.

La ceremonia no convenció a los paisanos; las cosas se pusieron feas cuando el cura bien a verga empezó a bailar y a molestar a todas la muchachas, ahí sí que se dieron cuenta que todo era una farsa, y a punta de machetes sacaron corriendo al esposo y a sus invitados.

Arturito tuvo que vender la finca.

Hector

De tanto verla dentro de su oficina los viernes cuando había que hacer la planilla de la semana y se quedaban para la hora del almuerzo, Elizabeth, la secretaria, una india flaquita y de cara bastante fea, dientes de ratón, anteojos de lentes espesos, hija de una india casada con un japonés, quizás nunca existió un cruce tan jodido, aun si había salido con una cara desagradable tenía un culito redondo y una cierta manera de mover las caderas que cuando caminaba por la oficina era como que estuviera bailando...

Una pollera corta y liviana y el diablo siempre está listo para que los hombres caigan en tentación.

En un momento estúpido, de los que a cualquiera

pueden suceder, Hector agarró a la muchacha por detrás, la puso contra el escritorio y se sacó el clavo.

Se arrepintió pero sabía que se estaba mintiendo, que el polvo no había sido tan malo.

"Grosero" le gritaba cada vez la muchacha mientras él le levantaba la pollera y le bajaba el calzón, pero de igual manera todos los jueves la secretaria se quedaba en la oficina a la hora del almuerzo cuando los demás empleados no estaban.

La historia se repetía, Elizabeth se ponía en posición para el ataque de Hector arrimada al escritorio. Él le levantaba la pollera, le bajaba el calzón, ella le decía "Grosero", era otro buen polvo sin mirarle la cara, que seguía siendo bastante fea y luego él se arrepentía, bien sabiendo que se estaba nuevamente mintiendo.

Hasta que un día, después de unos meses y de un polvo semanal, Elizabeth le reclamó a Hector. Le dijo que había quedado preñada, que quería irse para Guatemala donde vivía su mamá y para eso quería 20,000 pesos.

Que si él no se los daba se los iba a pedir a su esposa.

Un verdadero chantaje. Él no podía ser culpable ya

que en sus polvos con ella, al final él siempre se salía de la entrada y se metía en la salida, aún con el poco de fisiología humana de su escaso conocimiento, sabía por cierto que por la salida no puede haber embarazo.

Problema serio, ya que siendo tan fea la muchacha no le hacía honor y podía pasar por degenerado, además, una vez que uno pierde la confianza de la esposa y se cae del caballo es muy difícil volverse a subir y eso lo amargaría toda la vida.

Sin considerar que 20,000 pesos no son mango verde con sal.

Veinte polvos más o menos, saldrían como a 1000 pesos el polvo, para un comerciante como él ese sería un pésimo negocio, por una mercadería que se podría cotizar lo máximo a 4 pesos. Como un mango verde con sal.

Decidió ir a ver a Melida en el barrio del Chorizo, la que se dedicaba a todos los negocios más sucios del pueblo.

Melida, como un confesor, escuchó y le informó que sacarlo de apuros le costaría 500 pesos, por adelantado, en moneda de plata, nada fiado, plazos o cheques.

Fue así que a la pobre Elizabeth por alagartada se le quebró el brazo izquierdo, con la recomendación que tuviera cuidado para que no se le quebrara el derecho también.

Crónica de una Tragedia

Cuando Elias era todavía un niño don Mariano Guzman lo llevó al taller de don Alejandro Ruiz para que le diera trabajo.

Elias había vivido con la abuela y la hermana mayor en una humilde casita, dos cuadras arriba del basurero municipal en el barrio que le decían "del chorizo", en donde un tufo implacable llegaba con la brisa de la noche.

En aquel entonces, el pueblo estaba dividido en dos por el ferrocarril.

Estaba la calle del comercio, con sus tiendas de palestinos que como zopilotes permanecían en la puerta tratando de meter dentro a huevos a los transeúntes para venderles algo.

También estaban las tiendas de los chinos con sus cachivaches colgando por fuera y más adelante se encontraba el mercado hediondo, donde los campesinos llegaban a vender sus productos.

Arriba de la linea del ferrocarril los ricos disfrutaban en sus mansiones; abajo, la mancha brava de los pobres aguantaba hambre.

La mayoría de los ricos – comerciantes palestinos, ganaderos y cafetaleros – mantenían a una joven querida que a veces era también menor de edad y que residía abajo de la linea, en una casita.

Le pagaban el alquiler, la luz eléctrica, el agua, la provisión, recibía regalitos en las fiestas y era consolidada costumbre cuando se cansaban de ella, como agradecimiento por los servicios prestados, dejarle un par de meses de alquiler pagado, un saco de arroz, uno de frijoles y una máquina de coser checoslovaca.

La hermana de Elias había sido querida de don Mariano y a la muerte de la abuela, después de que su hermana se había largado al norte con un sargento, Elias fue a ver a don Mariano para que le ayudara y este lo recomendó con don Alejandro.

El niño estaba chuña, la ropa gastada pero limpia, lo pusieron a barrer el taller y después a hacer mandados. Tenía buena voluntad, todo lo aprendía rápido, además la abuela le había dado una buena crianza y enseñado buenos modales, tal vez era lo único que trabajando de sirvienta en una mansión de ricos por tantos años le había quedado, hasta que, por vieja e inútil, la habían echado.

Eso y la casita y el solar del barrio del chorizo que había logrado comprar ayudándose con robos y rebuscadas, capitalizando así el haber trabajado por tantos años en casas de ricos.

Don Alejandro, quien no tenía hijos, terminó por encariñarse de Elias. Este aprendió el uso del torno y de toda la maquinaria del taller, era el único de los empleados que no se ponía a verga los viernes por la noche y no amanecía el lunes trastornado y de goma.

Cuando unos narcos necesitados por lavar dinero a huevos quisieron comprar el taller para hacer un edificio, don Alejandro regaló toda la maquinaria y los tornos a Elias, quien puso el taller en su casa y empezó a trabajar logrando inesperado éxito.

Ahí es adonde lo conocí, cuando le llevé una escopeta para que me le recortara el cañón.

Tenía fama de honrado, cumplido y abstemio en un barrio de borrachines tramposos y cuchilleros.

Casado con una profesora, él, un analfabeto de raza, estaba muy orgulloso de su mujer.

La recuerdo blanca, flaca, narizona, fea sin remedio, con una casita bien pintada, un Ford pickup 150, la yarda bien cortada, baranda con flores, un taller bien ordenado. A pesar del barrio tenía todo lo necesario, y también lo no necesario, para ser feliz.

Pero algo le faltaba: quería tener hijos para dejarles lo que con tantos sacrificios y no poca suerte había logrado…

Médicos, curanderos del mercado, huevos de tortuga, sopa de calaguala, rezos a la Virgencita, frecuentes actividades nocturnas que hacían temblar las paredes de madera de la casa, pero la profesora no cuajaba, los hijos no llegaban.

Decidió tomar otro camino.

En la desesperación de todos los barrios pobres del Caribe siempre se puede encontrar una anciana, ex puta, mala consejera, usurera y rufiana, la que consigue jovencitas a los viejos puercos, jovencitos a los ricos degenerados de la ciudad y también mujeres a las casas clandestinas.

A Melida, la todopoderosa rufiana del barrio, una mujer que prometía matrimonios con hombres ricos en el exterior a jovencitas, las que luego terminaban en los burdeles de lujo de Panamá, a ella buscó la profesora.

Quedaron que conseguiría una mujer que por plata estuviera dispuesta a quedar embarazada de Elias y después dejarle la cría a ella.

A los pocos días Melida llevó una media docena de jovencitas, bonitas pero todas bien usadas. La profesora insistió que debía ser una hembra virga garantizada, algo imposible ahí, donde las únicas vírgenes que quedaban en el barrio eran las de agosto.

Unos días después regresó con una joven hembra, un poco aindiada, sucia y chuña, de cuerpo hermoso, pelo largo, alta, ojos nocturnos y de pestañas largas, todo lo necesario para garantizar un buen producto.

Una vez bien bañada, maquillada y bien arreglada, empapada de Agua de Florida, la llevaron a Elias.

El fingió toser para disimular la aterradora emoción

por la suerte recibida, la de poder tomar otra sopa después de tantos años de sufrimientos y de esclavitud.

Dicen que la de la cama es la peor esclavitud.

Al fin otra hembra, promesa de la gloria del paraíso.

Temblores sacudían la madera de las paredes, la barriada del chorizo estaba enterada, todo lo sabían, los de frente a la casa llevaban la cuenta de los polvos, hasta los cipotes dejaron de rebuscar entre la basura.

La profesora se estremecía por los celos, pero por amor se aguanta todo.

A las dos semanas del retraso de la regla, fue oficializado el embarazo, el vecindario entero armó una fiesta con marimba, carne asada, guaro, cervezas, tamales y empanadas.

La muchacha se trasladó con la pareja a un cuarto con su propio servicio, cama con sábanas, no más catre y cobija asquerosa, con radio, armario con ropa fina, tres tiempos de buena comida, sentada en la mesa junto a la pareja, una enfermera que llegaba dos veces por semana a inyectar vitaminas, perder todo eso hubiera sido una verdadera lástima.

Dejar las sábanas de la cama, volver al catre y a la cobija inmunda, a cuidar el montón de hermanitos, los que su mamá fabricaba, uno cada año, sin falta, dejar la buena comida y...la tranca de Elias!

No, no, no, había que hacer algo.

Primero, actuando como que fuera casualidad, rozó el pie de Elias debajo de la mesa, después ya descaradamente, hasta que a Elias regresaron los ataques irrefrenables de tos, disimulando así sus emociones.

Cuando al fin nació un precioso cachorrito, ella no lo quiso entregar, y Elias estaba de su parte.

Por un tiempo vivieron los cuatro en la casa.

No se podía saber exactamente el origen de los temblores que sacudían ahora las paredes de madera de la casa, todo el barrio estaba pendiente.

Una noche llegó la ambulancia y luego la policía. La pobre muchacha estaba muerta, degollada de oreja a oreja, Elias en un lago de sangre, con las dos manos apretaba lo que le quedaba de la verga, en el suelo se encontraba una navaja de barbero.

De la profesora, niño y pedazo de verga, nunca se supo donde fueron a parar...

El Teniente Luque –
Una Investigación Internacional

El hombre se bajó frente al Hotel "El Camino Real" de una inmaculada camioneta Bronco hacia los calores bravos de las dos de la tarde; iba junto a su secretaria.

A esa hora nadie se atrevía a andar por las calles.

Llevaba puesto un saco de puro lino, una camisa blanca de seda cruda, zapatos de charol y una orquídea viva en la solapa.

Se presentó como director de cine y quiso para él la suite que llamaban "presidencial", muy optimista, ya que ningún presidente nunca la había ocupado, ni jamás la ocuparía, en ese pueblo olvidado.

También pidió un cuarto para la secretaria, una mujer con "le fisique du rol", de peinado estirado y grandes anteojos.

Bajaron los cachivaches de sus oficios y armaron en la suite los aparatos del "gran engaño".

Esa misma tarde la secretaria se fue a las oficinas del periódico local y a la emisora "Radio Moderna" a difundir un anuncio avisando que en el Camino Real se encontraba un director de cine seleccionando caras nuevas para una telenovela.

Buscaban hombres entre los cuarenta y cincuenta años y muchachas entre los catorce y los veinte.

Los interesados debían llamar antes para una cita y no presentarse sin tener los requisitos.

El pueblo despertó y las peinadoras se pelearon a leñazos.

Entre los hombres eran muy pocos los interesados; las mujeres, toditas fueron, menos las que amanecieron con la cara hinchada.

Generalmente los esposos no estaban de acuerdo con que se presentaran a la audición.

Les dieron cita, era una persona cada media hora por los siguientes días y solamente aceptaron un centenar de personas.

La secretaria apuntaba los nombres, las muchachas tenían que presentarse sin maquillaje, con partida de nacimiento, para las menores de edad se ocupaba una declaración liberatoria de un pariente cercano que las autorizaba a viajar al exterior.

Además debían llevar: traje de baño las muchachas, dos fotos tamaño pasaporte, y se les entregó una hoja con un monólogo de la novela "Noches de Pasión" de la escritora argentina Esmeralda Gutierrez, lo debían leer en la audición.

Al terminar las entrevistas el hombre cargó sus aparatos en la camioneta Bronco y se fue.

A medida que pasaban los días, y luego semanas sin tener noticias, el pueblo embrutecido por el implacable calor polvoriento del verano se volvió a dormir.

Despertó nuevamente a la llegada de doce cartas para doce doncellas, junto a pasaportes, pasajes para volar a Panamá, dinero e instrucciones.

Se organizó entonces un viaje para la despedida de parte de familiares, amigos y conocidos, hasta se unió el alcalde, quien al acercarse las elecciones salía por todos lados en el periódico.

Alquilaron todos los buses de la empresa Ramirez, las rutas fueron suspendidas para llevarlos al aeropuerto de la ciudad. Todos querían estar presentes en la salida de las futuras divas.

Los periodistas las entrevistaron y les tomaron fotos, el avión se atrasó ya que cada persona quería retratarse con el orgullo del pueblo.

Pasaron los meses y no se supo nada más de las doce muchachas, no se recibieron cartas, ni llamadas telefónicas, los parientes aterrorizados fueron donde el alcalde que informó al gobernador.

Era tiempo de elecciones, el gobernador designado (pero con muy pocas esperanzas) a la presidencia de la república pidió al jefe de la policía que encargaran al mejor investigador del D.I.N., el departamento de investigación nacional, con carta blanca para resultados rápidos. Las muchachas debían regresar al país y él pensaba ir a recibirlas con periodistas, televisión y todo antes de las elecciones.

El teniente Luque, el más vergón de los policías, se

traslado al pueblo.

El hombre, el "director de cine", viajaba con papeles que resultaron falsos, como su nombre y apellido.

La agencia en la capital que había tramitado los pasaportes no sabía nada y le habían pagado al contado y por adelantado.

La trata del las blancas está bien organizada, con sostén de la política, es una mafia grande y peligrosa, la cosa se ponía difícil.

El teniente Luque viajó a Panamá. Lo único que tenía era la información sobre la camioneta Bronco de los años sesenta, un carro de colección, no debían haber muchos todavía en circulación, se fue a las oficinas de tránsito, lo ayudo ahí un mayor que había frecuentado la escuela de las Américas en Balboa, la de los gringos, en el entrenamiento contra la guerrilla, con él no tardó en encontrar nombre, apellido y dirección del dueño de una Bronco de 1959.

El teniente lo siguió durante varios días hasta que el hombre se fue a jugar golf, una verdadera suerte.

El teniente era un buen golfista. Descaradamente se metió al campo y pidió poder jugar con el sospechoso.

El hombre era mediocre; sin embargo, el teniente Luque lo dejó ganar, una buena estrategia, se hicieron amigos, le dijo que trabajaba en comercio de carros usados, de lujo, dejando entender no tener muchos escrúpulos.

Alabó su buen golf y lo invitó a que fuera a su país a participar en un torneo de aficionados en donde seguramente se iba a lucir.

El tipo aceptó.

Al no más llegar al aeropuerto fue apresado y llevado a un lugar secreto; los pendejos de Amnesty Internacional estaban siempre espiando las oficinas del D.I.N.

Lo metieron a una celda desnudo en donde solo cabía parado y lo dejaron cocinar dos días en la sopa de sus orines y de sus excrementos, cuando estaba ya en el punto lo sacaron pero no quiso hablar, tan fuerte era el miedo hacia la mafia.

La máquina de la verdad, un electrodo en la pija y uno en el culo, conectado a los 110v de una toma, regalaban una descarga inaguantable pero no mortal.

Un tocadiscos a todo volumen con un bolero de amor de Toña La Negra para cubrir, por si fuera necesario, los aullidos del tipo y para engañar a los pendejos de Amnesty Internacional.

Las muchachas trabajaban de putas, encerradas en una casa de lujo clandestina, una que tenía también un casino.

El teniente ya de vuelta en Panamá fue varias noches ahí al casino, a derrochar dinero del gobierno.

Habían guardias armadas pero no en donde se encontraban las putas.

De regreso organizó un comando. Llegaron a Panamá como una delegación del ministerio de agricultura interesados en la acuicultura pues había en esos días un congreso en la ciudad.

La delegación visitó el burdel hasta que una noche le prendieron fuego y en el verguero que se armó lograron recoger a las muchachas, las llevaron al puerto en un busito, las embarcaron en una lancha y de esa manera las regresaron al país.

Del director de cine nunca se supo el paradero, seguramente se cayó de un avión en medio del mar.

Alex

Sin duda el hombre más platudo del pueblo.

Tenía una empresa de construcción. Dueño de todos los alrededores del lado noroeste, construía casas para vender a plazos.

Era difícil que saliera a los polvosos calores del pueblo, se quedaba en la primavera artificial de sus oficinas, siempre de saco y corbata, con trajes hechos en la sastrería Litrico de Roma, la misma que vestía al presidente Kennedy.

Tenía un carro Ferrari en su garaje, siempre bajo una manta de terciopelo rojo, era un carro en el que nunca salía. En el pueblo la única calle pavimentada estaba llena de baches, era la que le decían "del comercio", no apropiada para un carro bajito. También tenía una motocicleta Harley modelo Fat Boy que igual nunca sacaba y una escopeta Bernardelli calibre 12, arma finísima que nunca había disparado; Alex no salía a tirar ya que le daba lástima matar animales.

Muchos de la buena sociedad creían que muy probablemente era un marica, pero al divulgarse la noticia que estaba de novio de Amparo, la ganadora del concurso de belleza, eso apagó toda sospecha que lo señalaba como un "amigo de la verga".

El día del matrimonio todo el pueblo se puso de fiesta, estaba presente Tele7 trasmitiendo la ceremonia, había mucha comida y bebida para todos, la orquesta había sido traída desde Nicaragua, tenían bailes en la calle, ella en un traje de novia italiano del atelier Fontana, él en un traje blanco con corbata de mariposa roja.

Luego una luna de miel con vuelo especial a Cancún, con jet de aeroservicios.

Después de unos meses ella le contó a su mejor amiga – la que amiga no era – recomendando que a nadie se lo dijera… que el esposo no cumplía, no pisaba, que ella había probado todas las mañas posibles, que pasaba pelada para que a él le dieran ganas.

Había metido en la comida las medicinas recomendadas por el médico, le servía comida que decían era afrodisíaca y toda clase de remedios de la curandera del mercado, hasta sopa de culebra boa.

Dormían en cuartos separados. Además un par de veces por semana llegaba un joven a visitarlo, se encerraban en su cuarto y era fácil imaginar lo que pasaba ahí adentro.

Se había casado con un culero que solo la tenía de adorno, como a todas sus cosas, y para esconder a todo el mundo que le gustaba la pija.

En aquellos años los maricones tenían mala vida, eso gracias a la cultura machista latina intolerante. A los que podían los habían empujado a trasladarse a España, en donde, después de la muerte de Francisco Franco Bajamontes, Caudillo de España, homofóbico católico intolerante, por natural reacción todos los homosexuales de Latinoamérica se estaban poco a poco reuniendo.

Si ella hubiera publicado la noticia en el periódico el escándalo hubiera sido menor pero la amiga se encargó de que la noticia estallara en todo el pueblo.

Todo el mundo comentando e inventando, ya que como suele ser en estos casos, cada quien quería participar agregando falsos detalles.

En el Café Athenas se reunían todos los días a las 10 de la mañana unos hijueputas arruina familias, quienes se dedicaban a ver quien entre ellos se pisaba mujeres de las más difíciles de conseguir y en las situaciones más raras.

Al final del año proclamaban el ganador.

El año anterior el dentista había ganado la competencia, echando un polvo con la esposa de un embajador en el elevador del hotel La Ronda.

Esta vez el doctor estaba seguro de ganar por haber echado uno con una enfermera en el quirófano del hospital mientras estaban alistando todo para una operación e igualmente no perdía la esperanza de pisar con una monja para así desbaratar la competencia.

Un empresario había viajado siete veces entre New York y Zurig hasta lograr convencer a una aeromoza a echar un polvo, por cierto muy incómodo, en la toilette del avión.

La noticia que la mujer más bella del pueblo estuviera ahora al alcance los puso a todos en profunda agitación, apostaron a ver quien podía proporcionar lo que a ella faltaba, pero nada lograron ya que Alex era muy celoso de sus cosas.

El joven que trabajaba en la oficina de Alex tuvo la buena suerte, y también la mala suerte, de llegar luego al paraíso. Apareció ahogado en la laguna que le dicen "de los caballos", por bañarse, reportó Tele7, sin saber nadar, a pesar que los amigos decían era buen nadador.

En las casas de Alex empezaron los robos, eran siempre cosas valiosas, y la policía no podía resolver los casos. La servidumbre fue eufemísticamente interrogada, pero ni la máquina de la verdad pudo lograr esclarecer algo, nadie sabía nada.

Los dueños de las casas de empeño tuvieron un mal momento. La policía verguео a todos los que, sabiendo, compraban cosas hueveadas.

Era la misma Amparo que se llevaba las cosas, más que todo alhajas, y las encargaba a una mujer que vivía en el barrio del Chorizo, a Melida, quien las despachaba y vendía en el exterior.

Cuando Amparo alcanzó lo suficiente para fugarse, desapareció. Se fue a California, donde vivía una hermana y donde, dicen, se puede encontrar una "fortuna".

Miguel Ángel Romero

A Miguel Ángel lo conocía desde el kinder. No lo había vuelto a ver por muchos años y repentinamente apareció en el café de la plaza del parque con una mujer, una de las tantas que cambiaba cada quince días.

Lucía siempre muy enamorado de ellas, lo raro era que sus mujeres no parecían nada especial, más bien, si se puede decir, de segunda o tercera calidad, de las que la juventud se les había ya pasado, gorditas o flacas y arrugadas, viudas o sobrevivientes de un naufragio matrimonial.

Yo quería entender lo que estaba pasando y el porque.

Miguel Ángel había heredado un buen patrimonio de parte los padres; eso servía para descartar la hipótesis de que lo que buscaba era lograr un braguetazo, quiero decir, un matrimonio por interés con alguna vieja adinerada, además, estas desde como vestían se podía entender fácilmente que no eran ricas.

Los que me conocen saben que no soy curioso y no me meto en asuntos que non son míos, pero esta vez no pude resistir ya que el asunto parecía bien raro.

Me senté detrás de él de manera de lograr escuchar lo que se decían entre ellos.

No lo podía creer, hablaban de amor, y él, mano en la mano le juraba eterno amor, le leía poesías y recitaba todas las estupideces que se dicen los quinceañeros.

A veces protagonizaban escenas de celos, con lágrimas y monólogos conmovedores, otras veces los dos enamorados se sentaban en el parque, él hablando y gesticulando para darle más fuerza a sus palabras, en puro estilo italiano, a veces él se ponía de rodillas, con la de turno escuchando extasiada.

Al fin entendí...

Él era el director, el autor, y el actor de una telenovela perfecta – una cosa nunca jamás vista – junto a artistas que no sabían que solo estaba actuando.

A los quince días, cuando la telenovela llegaba a la perfección literaria, él desaparecía, olvidándose de las pobres mujeres, dejándolas confundidas.

Luego empezaba la misma historia con otro resto de naufragios matrimoniales, viudas, obesas y feas con ganas.

Pero un día me lo encontré con un gran cuero, una trigueña Cubana o tal vez, considerando el gran culo, Brasileña, y tuve miedo por él.

El tiempo me dio razón...

Supe que se quería casar con la mujer que tenía ahora, por como estaba arreglada, portaba "le fisique du rol" de una puta, hasta le había comprado un apartamento en el centro de la capital y decía que quería tener dos hijitos trigueños.

Mas una noche regresando trepidante a su nido de amor no logró abrir la puerta de la entrada con su llave, tocó el timbre por varios minutos hasta que escuchó que detrás de la puerta se estaban riendo y ahí comprendió la traición.

Empezó a golpear la puerta gritando y aullando,

primero con las manos, después a patadas y a cabe-
zazos.

Los vecinos asustados llamaron a la policía. Al llegar
estos, se agarró con los agentes que rápido lo ver-
guearon y se lo llevaron bien amarrado.

Muerto Ambulante

Mis adelantos como piloto de avión procedían lentamente ya que no podía gastarme todo mi pisto en rentar el avión. Había sacado licencia de estudiante y cada día que podía acompañar a alguien en un viaje aprovechaba la oportunidad.

Tenía la idea de pedir un préstamo, ir a Miami, sacar licencia comercial ahí y meterme en la profesión de piloto.

Gracias al Aeroclub volar era barato pero los socios eran unos léperos, malos hijueputas que pasaban todo el tiempo pensando en bromas para joderse entre ellos, entre más pesadas mejor, a veces eran bromas peligrosas.

Carlos Reyes Hernandez había sacado licencia de piloto privado y luego había comprado un avión de seis plazas, pagándolo por hora de vuelo. Clandestinamente hacía de taxi llevando repuestos, pasajeros y todo lo que le llegaba, todo lo prohibido por la Agencia Nacional de Vuelo, A.N.V.

No se podía cobrar dinero. Todos vuelos con fines comerciales, de cualquier tipo, estaban prohibidos. La mejor y única compañía aérea comercial, Lineas Aéreas Nacionales, monopolista, vigilaba.

Me vino a buscar Carlos, me extrañó, quería que lo acompañara en un vuelo al interior y después a las islas.

A pesar de que Carlos era un hombre raro, creído, y que confieso me caía malísimo, tan grandes eran las ganas de volar que acepté.

Salimos en la mañana, hacia la pista de la yarda de un aserradero, lo que teníamos que cargar ahí era un muerto en su caja de crudas tablas, para luego llevarlo a la isla.

En el avión la caja no cabía, ni a putas, estuvimos tratando horas hasta que se decidió sacarlo del ataúd y sentarlo en un asiento del avión. Carlos no quería renunciar al dinero del vuelo.

Despegamos tarde y no logramos llegar a la isla, la noche podía traicionarnos y optamos aterrizar en el aeroclub. El muerto quedó en el asiento, nos fuimos a la casa para salir en la mañana siguiente rumbo a la isla.

Antes me fui a comer pizza donde Gatti, un ex tahúr italiano que había trabajado de tramposo con naipes en los barcos que viajaban por la ruta de Europa, y con el desarrollo de la aviación el viejo se había reciclado como "pizzaiolo".

Ahí encontré a uno de los socios del Aeroclub, le conté la extraña aventura, inmediatamente me arrepentí, pero el daño ya estaba hecho.

El hijueputa se comunicó con los demás grandes hijueputas, todos juntos se fueron para el Aeroclub, levantaron el muerto y este amaneció sentado en el parque central, frente a la alcaldía.

El D.I.N., departamento de investigación nacional, cerró el parque hasta que llegara el juez para el levantamiento, para luego transportar el cadáver a la morgue.

Un chofer de taxi de los que estacionaban en el parque declaró que él había llevado al extranjero, quien nadie conocía y que tampoco tenía papeles, desde la cantina Seven Eleven hasta el parque, que este le había pagado con un billete de cinco dólares, hasta enseñó el billete.

Me imagino que el chofer estaba haciendo algo inconfesable a esa misma hora y de esa manera estaba tratando de crearse un alibi.

En el Seven Eleven una puta reconoció al hombre de la foto, sin sombra de duda, estaba segura que el hombre había echado un polvo con ella. No se les ocurrió a los investigadores que las putas viven a verga, no se pueden acordar de todos los polvos, ni cuando, ni con quien, ni cuantos, que entre una persona y su foto de muerto hay a veces grandes diferencias, que además pisaban siempre en oscuro para no enseñar cuanto estaban hechas mierda y que las del Seven Eleven eran putas de tercera categoría, destinadas para los cortadores de caña, mineros, pordioseros, gente del campo y de escasos recursos.

En el café Atenas, la arcadia de los hijueputas... El día siguiente Carlos contó la historia, todos sabían pero se hacían los tontos, la resurrección del muerto le iba a costar caro ya que solo había cobrado la mitad del dinero.

El doctor Raúl dijo que a veces en casos de narcolepsia hay unos donde el afectado puede despertar unas cuantas horas, aún solo para echar el último polvo.

Carlos, convencido sobre la resurrección, le contó el hecho a todos, recomendando que nadie debería ser enterrado sin que antes le pegaran un tiro en la cabeza, asustado por la posibilidad de que cuando muriera se despertara luego bajo tierra, encerrado en un ataúd.

El Teniente Luque –
El Caso de Javier Jimenez

El cuerpo de Javier Jimenez, socio y gerente de la compañía pesquera San Patricio S.R.L. amaneció cadáver en la terminal del puerto fluvial de Barranquilla.

Dos estibadores le avisaron al sargento del puesto de policía.

De la compañía pesquera San Patricio era también socio un diputado del partido conservador; había que aclarar todo lo más pronto posible antes que se armara el verguero con los periodistas.

El gobernador pidió al Ministro de Gobernación que le enviara el mejor investigador que tuviera disponible.

Con el primer vuelo llegó el teniente Luque, eso antes de que se hiciera el levantamiento del cadáver.

Al juez Americo Viera, encargado del levantamiento, lo encontraron hasta en la tarde fondeado en el burdel de la negra Eufemia. Desde que la mujer se le había fugado con un gringo muy seguido se ponía a verga hasta agarrar pata.

Con una ducha helada, dos Alka Seltzer, dos tazas de café y una cerveza bien fría lo dejaron casi nuevo y se pudo proceder al levantamiento según pide la ley.

El teniente Luque dedujo que el hombre había sido apuñalado, una sola herida en el pecho, de donde no salió mucha sangre, hecha con un puñal delgado y filudo por los dos lados.

Lo habían matado mientras estaba desnudo por algún otro lado y luego trasladado ahí. Se notaba que lo habían vestido muerto: la ropa no tenía sangre, los calzoncillos y los calcetines estaban puestos al revés.

Matar a un hombre desnudo afuera de su casa, solo que estuviera echando un polvo o algo muy parecido.

Con su traje de lino crudo y una flor viva en la solapa, nadie podía sospechar que el teniente era un
policía, más bien parecía un hombre de negocios en
busca de emociones.

Visitó primero las casas de lujo clandestinas de la
arcadia, de altos empleados públicos y las de los
políticos, hasta terminar con el burdel de mala fama
de la negra Eufemia, sin conseguir nada.

Averiguó con los choferes de taxi del Paseo Colón,
los que todo lo saben, que la calle de los Notarios era
la reserva de cacería de las putas menores de edad,
esas que lo daban a peso.

El teniente tenía el vicio de la pulcritud en el vestir y
muy buenos modales, las putitas no podían imaginar
que fuera un policía, acostumbradas a las groserías
de los agentes que exigían polvos de gorra.

Reconocieron en la foto al muerto. Era uno al que
le gustaba llevarse para sus etruscas ceremonias dos
hermanitas a una casa que quedaba atrás del paseo
Colón, en donde se podía alquilar un cuarto a cinco
pesos por hora.

El teniente visitó la casa como cliente junto a una
putita. En el cuarto hediondo todavía quedaban
manchas de sangre a pesar de que lo habían aseado

recientemente.

Al día siguiente los agentes del Departamento de Investigación Especial fueron a traer al dueño de la casa y lo llevaron a otra casa apartada, muy lejos de los oídos de los pendejos de Amnesty Internacional, quienes solo sabían joder.

Al señor le pusieron la máquina de la verdad criolla, un electrodo en la pija y el otro en el culo, con un electromagneto le daban corriente simultáneamente a una compilación de Agustin Lara a todo volumen para cubrir los aullidos y no asustar al vecindario.

Les contó que había encontrado al hombre muerto y desnudo en el cuarto, lo había medio limpiado, vestido, cargado en un troco tapado con ramas y lo había llevado al muelle con la idea de echarlo al río Magdalena para que se lo llevara al mar, pero al acercarse unas personas lo tiró al suelo en el muelle y salió volado.

Se había quedado con la cartera y con el reloj.

Las dos hermanitas que estaban con él contaron que durante la función llegaron cuatro hombres que las sacaron del cuarto a la calle, a patadas y en pelota.

Los hombres hablaban entre ellos en un idioma que

podía ser italiano. En Colombia donde hay italianos hay coca.

Es fácil comprar coca en Colombia, lo difícil es descubrir quienes compran cantidades de pasta de coca producida por los campesinos en la selva amazónica, los mismos luego la procesan para producir el clorhidrato para exportar.

En la oficina de migración el teniente consiguió los nombres y el paradero de todos los turistas italianos ingresados al país en las últimas semanas.

Logró averiguar quienes eran y en donde los podían encontrar.

Gracias a la máquina de la verdad, y con los tangos de Carlos Gardel, pudo constatar que los italianos nada sabían, solo estaban encargados de cobrar y en caso de no lograrlo, de matar.

En los periódicos locales salió publicado que cuatro turistas italianos se habían ahogado, la lancha con la cual habían salido a pescar se había dado vuelta.

Elisa

Elisa despertó en la madrugada; con asco echó una mirada al esposo dormido a su lado.

Estaba con la boca abierta roncando asquerosamente. En los últimos meses ya no aguantaba nada de él, y sin razón, pero todo lo que él hacía o decía le resultaba estúpido y molesto, hasta cuando trataba de hacerse el cariñoso le caía malísimo, era solamente cuestión de tiempo el llegar a odiarlo.

El amor es cosa de bobos, no existe, es como un fuego que arde y pronto no queda más que las cenizas, luego el viento se lo lleva.

Se sentía rara, así como se sentía en las mañanas cuando de cipota estudiaba en un colegio en los estados, en Baton Rouge, a la llegada de la primavera.

Se fue a la cocina donde la sirvienta, la bella Manolita, estaba preparando el desayuno. Ahí es cuando se dio cuenta que había amanecido lesbiana, al mirar a la cipota se le estremeció el cuerpo y una corriente cálida le subió por las venas, era una emoción olvidada, de otros tiempos.

El esposo se estaba apenas levantando y ella le dijo: "Me gusta Manolita". "A mi también", le contestó él riéndose.

La mañana estaba linda, el calor del Caribe no había explotado todavía, y en el tramite de vestirse con cuidado revivió lo que le estaba pasando, se sintió feliz.

Luego de una fumigada de Agua de Florida, Lanman & Kempt Barclay salió a la calle.

Sentía que todo lo de antes había quedado atrás, que empezaba una nueva juventud, abierta al amor y a la pasión.

En una tienda compró una camisita algo masculina, un par de jeans, un saco color malva, una corbatita delgada azul marino con rayitas amarillas y un par de zapatos negros estilo colegio.

En la peluquería escogió un corte algo masculino, vio su cabellera dorada irse a la basura y con ella se fueron los rencores del pasado, la cabellera frondosa, seductora de hombres, los que nunca la habían sacado del espanto y dejada satisfecha.

Lista para enfrentarse con una prometedora vida de sexo y de amor salió al sol esplendoroso de su porvenir. Pero al cruzar la avenida, una moto Harley apurada puso fin a sus sueños.

Virginidad

El adinerado empresario extranjero tenía el antojo de echarse una muchacha jovencita y en su país eso significaba unos ocho años de prisión garantizados.

Además era este uno de los crímenes más odiados en la prisión, donde los demás huéspedes generalmente se ponían de muy buena voluntad para que el acusado se arrepintiera, usando para ello toda clase de violencia.

A los presos por delitos sexuales, mas cuando había sido con un menor, los debían separar de los otros, ya que recibían muy mala vida.

Por esos motivos el turismo sexual prosperaba, aprovechando la miseria y la ignorancia del tercer mundo.

Melida, la reina de los negocios chucos, tanto así que hasta en el exterior era conocida, suministraba esos servicios, ofreciendo toda la seguridad y la discreción del caso.

Todos recurrían a ella para conseguir mujeres, muchachas, muchachitas y muchachitos.

Al empresario le enseñó cinco muchachas bien jovencitas, menores de edad, pero él la quería también virga y en un pueblo donde reina la miseria e ignorancia, una virga es cosa bastante rara, cotizadas entre los 2000 y los 5000 dólares más la comisión del 10% para Melida.

Como existía bastante demanda y era un mercado en expansión, si no habían vírgenes había que producirlas para hacer frente a los pedidos.

Utilizando una enfermera de la Clínica San Marco, un espéculo vaginal porta agujas, sutura, gotas de Valium, anestesia local con Lidocaina al 2% mezclada con Adrenalina, todo güeviado de la clínica, empezaron a ensayar la operación sobre cinco voluntarias.

Los resultados fueron buenos, solamente debían

poner dos puntos de sutura en el himen para hacer más estrecho el hoyo, luego una semana de lavado vaginal con permanganato de potasio en solución y todo finalizaba ahí.

Nació así en el barrio Medina la clínica clandestina del coño. Donde hasta las jovencitas de buena sociedad acudían para prepararse al matrimonio.

La noticia estalló entre los degenerados de Savannah, Georgia, en donde Melida tenía muchos contactos: por dos o tres mil dólares se podía desvirgar una menor de edad; a unas putitas las costuraron hasta tres veces.

Luego de unos meses donde el negocio iba prosperando, una jovencita se enfermó de vaginitis. En el hospital le encontraron los puntos que todavía quedaban de la operación.

Confesó que había acudido a la clínica del coño, en una fiesta un muchacho la había desvirgado y como se iba a casar quería que el novio no se diera cuenta.

La policía fue a cerrar la clínica.

Una verdadera lástima, un servicio tan importante para la comunidad, para protección de los matrimonios y también un producto muy rentable para la exportación.

La enfermera fue vergueada por la policía, en el proceso no habló de Melida, sabía que tenía a sueldo unos matones y mencionarla sería auto condenarse a muerte.

El Pastor Ramón, el Mexicano

Lo encontró la muchacha que llegaba temprano en la mañana para limpiar.

El pastor sentado, muerto, bien amarrado, sin pantalones y sin calzoncillos, en el suelo un gran charco de sangre con las últimas cucarachas atrasadas chupándola antes de ir a esconderse por debajo del altar de donde salían todas las noches para realizar la primera limpieza, un perfecto tren de aseo para todo lo orgánico que habían dejado los fieles en el suelo del "Templo de los Niños de Dios".

El pastor era un gran hijueputa, llegado desde quien sabe donde, había comprado una casa donde vivía y también una bodega donde había levantado su iglesia, así como hay muchas en América Latina, y no solo ahí, para la gente pobre, boba e ignorante y para uno que otro pendejo que les hace caso.

No se puede explicar como las autoridades no paran esa mierda vergonzosa, que chupa la sangre del pueblo, un teatro de pendejadas que solo puede funcionar con las mentes más retrasadas.

El Templo de los Niños de Dios quedaba dos cuadras arriba del barrio del Chorizo y cuatro arriba del basurero municipal, cerca de una colonia de cipotes, en su mayoría sin padres y que vivía escarbando en la basura recogiendo plástico, cartón y cualquier otra cosa que se podía vender para comprar comida.

En la fachada del "Templo de los niños de Dios" en un rótulo se leía "Sinite parvulos ad me venire", una frase del evangelio que cuenta de cuando los discípulos sacaron a patadas a los cipotes que querían acercarse a Jesus y que él les dijo que los dejaran arrimar.

En el barrio del Chorizo, en unas pequeñas contrucciones de bloque sin repello, vivían unos cuantos artesanos chambones, unos carpinteros, albañiles, algunas lavanderas, una costurera, un zapatero que re acondicionaba zapatos hediondos encontrados en el basurero, además en una champa de bahareque unos pachangueros. Había también un taller de mecánica, la trucha de doña Brovalia, una distilería clandestina de aguardiente protegida por el apestoso olor del basurero y muchas putas.

Putas de segunda y tercera categoría, viejas sin dientes y feas, para los pobres y para los menores de edad a quienes no dejaban entrar en los burdeles oficiales. La policía no lo permitía ya que el Gobernador político cerraba todo burdel donde se encontrara menores de edad.

Las putas menores de edad empezaban sus carreras jovencitas en las casas clandestinas de lujo, las de los etruscos, eran para el juego de los políticos y de los altos empleados públicos, para los gatos viejos los ratones tiernos.

Cuando ya el tiempo, el uso y el abuso las gastaba, pasaban graduadas al burdel de la negra Eufemia en el barrio chino y terminaban luego en el Chorizo.

El levantamiento se atrasó ya que el juez Americo Riera estaba a verga desde el día anterior, donde la negra Eufemia.

Con una ducha helada, dos Alka Seltzer, dos Mejoral y una cerveza bien fría quedo casi pijudo y se pudo hacer el levantamiento como pide la ley.

En la morgue al cadáver le encontraron los testículos arrancados y escondidos dentro de la boca cerrada, costurada con hilo de zapatero.

La causa de la muerte: los testículos lo habían atorado.

El teniente Luque rebuscando en la casa del pastor averiguó que era de origen mexicano, un ex cura que había sido huésped de la penitenciaria en Puebla, Mexico cuatro años por pedofilia. Se llamaba Ireneo Ugarte.

Se acordó que en los días anteriores habían encontrado el cuerpo de un cipote muerto de sobredosis de basuco, a una cuadra arriba del Templo de los niños de Dios – era de esos cadáveres que nadie reclama y que a nadie importan, la policía se interesa más en los homicidios excelentes.

En el basurero, entre los cipotes, pudo averiguar que uno de ellos había desaparecido, además confirmaron lo que el teniente había sospechado, el hijueputa pastor Ramón era un pedófilo que saciaba su vicio con ellos; había encontrado en la casa del pastor un cuarto especial para sus puercadas, con muchas fotos y una camara que indicaban un tráfico internacional de películas pornográficas, también dinero y un carrazo en el garaje; todo fue decomisado.

Los vecinos del Chorizo, sobre todo las putas de tercera categoría, las que vendían sus favores a peso, a plazos y a veces también de gorra, aceptaban la pedofilia, pero el asesinato de un cipote era otra cosa, la colonia de cipotes del basurero era parte de la economía del Chorizo, se puede decir que el barrio los había adoptado.

El teniente Luque mandó a traer al zapatero, que después de una breve estadía en el Centro de Estudio de Herpetología habló.

En realidad era nada más una casa clandestina del Departamento de Investigación Especial, lejos de las orejas de los de Amnesty Internacional, una casa para el estudio y el desarrollo de la tortura.

La máquina de la verdad: un electromagneto y dos electrodos en los güevos y boleros de amor de "Los Panchos" en el tocadiscos a toda verga para cubrir los aullidos de los clientes y no molestar al vecindario.

El zapatero se acordó de lo que había pasado, con todo lujo de detalles.

Después de la muerte del niño violado por el Pastor Ramón, en un solar baldío del Chorizo se reunió en asamblea toda la barriada del Chorizo alborotada.

Algunos querían denunciar al pastor a la policía, uno se ofreció a meterle una puñalada, el albañil quería desenterrar la chimba que usaba al tiempo que los venados abundaban, la mayoría no tenía confianza en las instituciones, nunca habían hecho algo para el Chorizo y nunca lo harían tampoco.

Ahí se podía decir sin error que era una república libre, soberana e independiente, una miseria feliz donde no se pagaban impuestos : nada a cambio de nada.

Seguros que al pastor, con toda su plata para corromper, no le pasaría nada, en la votación la mayoría decidió que tenían derecho a su propio juzgado especial, el de la libre "República del Chorizo".

En la noche unas mujeres fueron al templo, un trancazo en la cabeza les permitió manear el pastor en el sillón de sus liturgias y sermones.

Se nombró un juez y dos secretarias, el Ministerio Público, un colegio de defensa y además un jurado de diez putas.

Pasaron todos los testigos, contaron como se dedicaba el pastor a la purificación de los cipotes, los desnudaba, les ponía una túnica blanca, se los llevaba al Tabernáculo y los drogaba con basuco, hacía sus puercadas y los devolvía el día siguiente purificados y con un escapulario.

El alegato de la defensa afirmó que había sido un accidente, que si uno nace pedófilo, así como los que nacen pendejos, nada se puede hacer, que a la genética no se le puede culpar.

La acusación dijo que el pastor tenía que haber llevado al cipote al hospital, quizás así se hubiera salvado.

El jurado se retiró y a las dos horas lo declaró culpable.

Entonces el juez se levantó y lo condenó a ser capado, de eso se encargó Margot, ex puta, ahora criadora de chanchos, proveedora oficial de carne de cerdo en el Chorizo, pues tenía experiencia en esa clase de operaciones.

Según una costumbre de las Antillas Holandesas para curar a los pedófilos, le introdujeron los testículos dentro de la boca para que se los comiera, pero el Pastor, que quizás era vegano, de ninguna manera se los quiso tragar, se los metieron a la fuerza y mientras varios le tenían la boca cerrada, el zapatero se la costuró para que no los pudiera escupir, en eso lastimosamente se atoró.

No tenía ninguna intención de matarlo, les dijo, nada más lo había costurado, con toda buena intención, para su bien.

El teniente tuvo que convenir que el hijueputa había tenido un justo proceso y una justa condena, emitida por un juez democráticamente nombrado, igualmente un jurado había discutido el caso y que la muerte del hijueputa pastor había sido un accidente.

Cerró la investigación: Homicidio a manos de un desconocido.

Una Tragedia Evitada

Debía haber sospechado algo cuando la esposa exhumó una balanza y se puso a dieta o que cuando salía para ir donde el dentista se ponía ropa interior fina, de encaje, negra o roja, también se fumigaba con Agua de Florida y ahora frecuentaba más seguido el salón de belleza.

Con escasos resultados en realidad ya que con los años se le había arrugado la cara, caído los cachetes, había echado una papada de monseñor y un gran culo flojo, además, alegando dolores de cabeza, algunas veces le había perdonado los dos polvos canónicos semanales.

Fue un amigo que le contó que había sorprendido a su esposa entrando en un motel de parejas clandestinas, en el carro del gerente del banco.

No lo podía creer. Un día la siguió a la cita del dentista y pudo comprobar que era cierto.

Increíble, él y el gerente eran amigos desde hace muchos años y ahora era el amante de su esposa, él, quien era un hombre muy guapo y que además estaba casado con una mujer que sin duda era considerado el mejor culo de la ciudad.

Rubia, de cabellera colocha, ojos verdes, cuerpo de Venus.

Se sintió humillado y herido.

Fue a buscar a su amigo en el banco, por las dudas se metió al bolsillo una Colt pocket cal. 6,35.

Recordó que un tío siempre le decía que había dos clases de mujeres, las que son putas y las que están muertas.

Se acordó también que un tiempo él se había pisado a la esposa de su socio, cada vez que el socio salía de viaje, con el pretexto de darle clases de manejar, la llevaba en carro y cogían, la mujer se hacía como que no quería pero siempre regresaba.

"La que es puta vuelve" decía el sabio Sammy.

Las clases de manejar terminaban siempre en un mal polvo, era incómodo en el carro, entonces se decía a si mismo que no valía la pena, que era pura maldad y que la mujer no era la gran cosa.

La pregunta que lo carcomía por dentro... como era posible que a un hombre guapo, y que por su posición no le faltaban mujeres, le podía gustar una mujer que nada tenía de atractivo, además y sobretodo era decididamente inútil en la cama, teniendo él una esposa esplendorosa.

El amigo lo recibió con una nota de sincero cariño. En la primavera de su oficina vestía un traje de lino crudo, con una orquídea viva en la solapa del saco, eso lo hizo desistir, ya que no se podía manchar de sangre una belleza de traje como ese.

Desistió de sus propósitos, que eran estúpidos también, de meterle un tiro y meterse en líos.

Pensó que la esposa espléndida se le negaba y él tenía que, de alguna manera, saciarse con una mujer que estaba entrando ya en la vejez. Tuvo un sentimiento de ternura hacia su pobre esposa, la que en el espejo se descubría escuálida, culona, de tetas caídas, con la cara ajada y que el cuidadoso maquillaje no hacia que empeorar, muy poco deseable o mejor dicho, in-deseable, y pisar con un hombre importante y guapo era la revancha contra la vejez y medicina para la depresión.

Se dejaron con un abrazo, no le dijo que estaba agradecido que hiciera feliz – aunque solo por unos ratos – a su ridícula mujer. Tal vez le podía revivir la cara de burro que los años le habían regalado y hacer que la esposa le perdonara siempre los dos polvos semanales que últimamente le estaban costando.

Ralph

Se había quedado a pasar las vacaciones donde un amigo médico, talentoso pero loco sin remedio, uno que en lugar de trabajar en la capital estaba construyendo un pequeño hospital en una aldea miserable ubicada en la carretera del sur, a unos treinta kilómetros del pueblo de Santa Ana.

Al regreso en carro, después de unos pocos kilómetros, detrás de una curva Ralph se topó con un hombre tendido en el suelo. Pensando en un accidente, paró, se bajó, lo asaltaron y se despertó en una celda.

Entendió que había sido secuestrado por una pandilla bien organizada, la celda en cemento, en un lugar donde las casas eran todas de bahareque, una ventanilla alta con barrotes de hierro, la puerta también de puro hierro. Un hijueputa le pidió que escribiera a la familia para pedir el pisto del rescate. Entendió que pagado el rescate lo iban a matar lo mismo; el hombre no escondía la cara.

Fingió escribir, usando un nombre ficticio y a la dirección de una librería que a veces frecuentaba. Fue lo primero que se le ocurrió.

En la celda había un catre, una cubeta para cagar y orinar. Un escuálido viejo sin dientes llegaba todos los días a cambiar la cubeta, dejaba una asquerosa y escasa comida, un plátano, una cucharada de arroz y una de frijoles y una botella de agua. En la mano derecha llevaba un anticuado revolver, pero nunca se acercaba lo suficiente para Ralph poder intentar algo.

Para salir de la situación desesperada un día empezó a quejarse de que se sentía mal, no comió.

El día siguiente el viejo lo encontró tendido con la cabeza debajo del catre, cuando se acercó el viejo le pegó una patada al cuerpo tendido. Ralph logró aguantar sin moverse, el hijueputa trató de darle vuelta, Ralph le metió una gran patada en los huevos, el revolver voló, el viejo se dobló pero trató de recuperar el arma, Ralph por detrás le puso el brazo alrededor del cuello, empezó a apretar con toda la fuerza y la rabia de los días transcurridos en sufrimiento, se cayeron los dos al suelo pero no aflojó, apretando hasta que se terminó la pataleta y el viejo quedó quieto, estaba muerto, la cara morada, por la duda le metió el cañón del revolver en esa boca sin dientes para no hacer demasiado ruido y disparó, la cabeza del viejo estalló.

Al salir de la celda se encontró en una especie de iglesia. Afuera un rotulo decía "Templo de los hermanos de Cristo", una de esas iglesias de sin vergüenzas que se aprovechan de la gente pobre e ignorante. Pero este pastor no se conformaba con chupar la sangre de los tontos, se dedicaba también al secuestro y al asesinato.

Se escondió en el hospital, sabía que lo estaban buscando para matarlo ya que era un peligro para la organización criminal.

Todas las salidas de la aldea estaban presidiadas. Ralph consiguió prestado de su amigo doctor un riflito Winchester calibre 22 modelo 1903, de los que se cargan desde la culata, en muy buen estado y unos tiros de punta hueca, salió en una noche oscura, se fue a esconder en un matorral frente al Templo de los hermanos de Cristo y esperó. Hasta cuando el pastor apareció y tuvo el tiempo de zamparle dos tiros en la espalda ante que el hijueputa lograra esconderse detrás del portón.

Asistió al amigo médico que operó en una situación complicada, toracotomía y lobectomía de un lóbulo pulmonar que más parecía hamburguesa, solo una bala había logrado pasar entre dos costillas.

El día siguiente el pastor estaba mejor, parecía un milagro. El doctor, feliz por el éxito de una intervención que nunca antes había practicado, no dejaba de hablar de como se había desarrollado. La confianza en el pastor por haber sobrevivido estaba subiendo.

Mas Ralph la noche siguiente entró en el cuarto de terapia intensiva, el hijueputa estaba descansando, con esparadrapo le amarró las muñecas a la cama, le quitó los tubitos del oxígeno de la nariz, el pastor despertó, aterrorizado lo reconoció, quiso gritar pero un trapo en la boca metido a la fuerza no lo dejó, Ralph le sonrió, con dos dedos le cerró la nariz, hasta que dejó de patalear.

El doctor quedó muy triste, había estado feliz del éxito de la cirugía.

Regresando a la capital, después de la misma curva el la carretera, se topó con un hombre tendido en la carretera: "puta, pensó, parece que sigue esta vaina".

Se paró cerca del hombre pero luego arrancó de un solo, escuchó el aullido del hombre antes que el carro lo despanzurrara bajo sus llantas, las de un pesado Nissan Patrol de los de antaño, de los que eran todo metal, nada de plástico.

Ralph aceleró mientras le hacían unos tiros pero no lo pudieron alcanzar.

Pedrito

Pedro Nufio, cajero en el Banco de Oriente en Barranquilla, un hombre minuto, pelito colochito con bigotito a la Cantinflas, vestía siempre estilo vaquero para ganar unos cuatro centímetros de altura ayudado por el tacón de las botas, usaba faja con una hebilla de plata en forma de herradura y también llevaba un sombrero Stetson legítimo, al estilo ganadero texano.

Parecía imposible que adentro de los calzoncillos guardara algo especial...

La verga, la más grande, la más poderosa de Baranquilla y tal vez de toda Colombia.

Toda la ciudad estaba enterada del tamaño de la

tranca con la que lo había castigado el diablo.

La esposa, una mujer grande, se le había fugado en la mera luna de miel. No la aguantaba.

Pedro vivía cerca del banco y del muelle fluvial del río Magdalena, en la plaza Colón y día de por medio se quedaba durmiendo con las putas de mamá Blanca en el barrio Chino.

Almorzaba con sandwiches y cenaba con una tortilla de papas y seis huevos estilo español, siempre en la cafetería Roma del parque Colón, después se encaminaba hacia las putas.

Los lustreros y los taxistas del Paseo Colón bien enterados le gritaban: "feliz polvo licenciado", él sonriendo les contestaba saludando con la manita.

Al llegar algunas putas se escondían ya que sabían todo sobre la semejante verga, al parecer una novata se había desangrado en tres horas, otras, las más usadas, estaban felices de complacerlo.

Según Darwin el uso desarrolla los órganos, eso decía él.

Un día sucedió que un estibador, un hombrón de dos metros, ensoberbecido por cuatro polvos que se había echado seguidos, le apostó que podía ganarle.

Una noche, en presencia de un público atento y en silencio para no distraer a los atletas, se armó la apuesta.

El estibador se echó cuatro polvos seguidos, pero Pedro se echó ocho, uno detrás del otro.

Al momento de pagar la apuesta el estibador se negó a cumplir, alegando que Pedro había tomado drogas, que nadie podía hacer algo así.

Y sacó la navaja.

Pedrito asustado sacó a su vez un pequeño revolver y de un balazo en la frente lo desplomó al suelo.

En los periódicos salió la noticia que se había encontrado el cadáver no identificado de un hombre, con una herida de arma de fuego, cerca de la terminal marítima del río Magdalena.

Todo el mundo sabía lo que había pasado, el alcalde, el jefe de zona, el jefe de la policía, todos pertenecían a la farándula de la casa de mamá Blanca, no se podía manchar el buen nombre de la ciudad y tampoco meter al bote una verdadera gloria nacional.

El Coronel Rodriguez Mata

Después de cinco años de junta militar los tres coroneles, considerando que al fin de cuentas eran más ricos de lo que se puede desear, decidieron dejar el poder y convocar a libres elecciones.

De los inmensos ahorritos logrados acumular por cada uno de ellos, cada quien, según sus preferencias, invirtió el mal ganado pisto:

El coronel Rosales compró toda la tierra alrededor de la ciudad a precio de gallo muerto, ya que la crisis de la dictadura militar había dejado hambreando a todos los que vivían en los alrededores.

El coronel Paz Hernandez enterró la plata en las insondables profundidades de los bancos suizos con la idea de ponerse a salvo él y su dinero, y yéndose a vivir a España, al reparo de las posibles y probables venganzas.

El coronel Rodriguez Mata compró tierras y haciendas ganaderas en todo el país, por las buenas cuando fue posible y a pura verga donde fue necesario.

Por eso visitaba sus haciendas en una camioneta blindada y con una escolta de asesinos.

Las entradas de sus propiedades se mantenían limpias de matorrales, por si se podía esconder ahí algún hijueputa con la idea de vengarse.

Tenía casa, esposa y tres hijas en la capital, en donde se quedaba una semana por mes, las otras las pasaba viajando.

Al llegar a sus haciendas le ordenaba al capataz que le trajera toda muchacha virga de más o menos 15 años para poder escoger quien lo estaría sirviendo durante la semana que se quedaría.

Los padres de las víctimas eran promovidos en el campo a compadres, y con ser compadres del coronel y con poderle decirle "mi compadre" al coronel, se conformaban.

Así se la pasaba todo el año cuidando sus propiedades y desvirgando toda doncella que le ponían enfrente, hasta alcanzar un número indefinido de hijos e hijas.

Pero no pudo imaginar que a los 59 años se enamoraría de una de sus víctimas, una muchacha diferente a las otras indias, más alta del promedio, con una piel dorada, no tenía el color berenjena de la mayoría de ellas, además con un cuerpo estatuario, pelo largo y sedoso.

Seguro que era hija de alguno de los muchachos gringos del "Cuerpo de Paz" que habían trabajado hace quince años en la aldea.

Al final de la semana el coronel quiso llevársela pero la muchacha de ninguna manera aceptó.

Él se fue pensando en ella, los enamoramientos seniles son los más peligrosos.

La primera que se dio cuenta que algo pasaba fue la esposa ya que en las semanas que permanecía en casa nunca había dejado de cumplir con los dos polvos; creyó que tenía alguna inconfesable enfermedad.

Él se dejó llevar donde el médico, todos los exámenes revelaron una salud envidiable.

Lo más pronto que pudo se regresó para la hacienda "El Porvenir", ahí donde vivía su amor.

Al llegar supo que la joven se había largado, sin que se supiera donde.

Los padres declararon que nada sabían de su paradero; no les creyó y los hizo verguear por su escolta de expertos asesinos, sin poder sacarles nada.

Una gran desesperación y rabia se adueñaron de él, también estaba sorprendido que por una pinche india él, Coronel Rodriguez Mata, uno que el solo nombre daba terror, uno que a tiros se había defendido de una emboscada de los rebeldes y los había corrido, se sintiera hoy así hecho una mierda.

Pero esa mujer se le había metido en la sangre, no se la quitaba del cerebro y mientras más trataba de olvidarla más su mente la recordaba.

Un ex sargento fue enviado disfrazado de albañil para levantar las paredes y agregar un cuarto más a la casa del Porvenir.

En realidad era para romper el muro de la "omertà" y así descubrir el paradero de la doncella.

En una camioneta llevaba los cachivaches de albañil pero también tres cajas de "Flor de Caña", un mágico elixir para abrir las bocas cerradas de los paisanos, los que reunía por la noche y para ganarse su confianza ponía bien a verga, hasta que logró averiguar lo que quería.

Cuando el coronel supo que su amor imposible trabajaba en la costa, de mesera en el balneario "Verde Mar", fue a buscarla.

A nada sirvieron los regalos que le traía, joyas, ropa fina, flores y promesas de eterno amor, pero sí le sirvió la Colt modelo 1911 calibre 45 acp apuntada sobre la cabeza de la mujer, quien mansita se dejó llevar al Hotel Caribe.

Después de una noche de amor feliz lo encontraron con una sonrisa en la cara, apuñalado, muerto sobre la cama.

Nunca se pudo averiguar el paradero de la mujer.

René Martinez

René Martinez, diputado en el parlamento de la República, un verdadero hijueputa sinvergüenza y corrupto.

En un viaje a Miami en primera clase conoció a un viejito de apellido italiano; le contó que era diputado y el anciano le dijo que estaba interesado en comprar un solar en los alrededores de la capital para poner un casino, que quería saber si le podía ayudar en eso.

René Martinez husmeó un buen negocio y aceptó.

El día siguiente, de regreso en el aeropuerto, un hombre le entregó un maletín de piel de lagarto con adentro cien mil dólares para los primeros gastos de la compra del solar.

Estaba feliz René, se había cachado cien mil, que putas podía hacer ese viejito tonto, probablemente se iba a morir pronto, estaba decidido a no comprar ningún solar y a quedarse con la plata.

La falta de experiencia no le hizo entender que cien mil dólares al contado y sin recibo, sin ningún comprobante y sobre todo considerando el apellido italiano del viejo, querían decir que era dinero sucio y que la mafia no se dejaría joder por un pendejo diputado de una república bananera.

A los seis meses llegando nuevamente al aeropuerto de Miami, después de los tramites de migración y esperando un taxi, unos hombres lo metieron a la fuerza en el maletero y lo llevaron a saber donde.

En una casa de un barrio pobre, dentro de un cuarto le pegaron una gran verguеada hasta dejarlo bien hinchado, después le tomaron una foto y con su teléfono se la enviaron a la esposa.

Pedían la devolución de los cien mil dólares más los intereses. Si no a los diez días lo tirarían al mar con los pies fundidos en un bloque de cemento.

La esposa no tenía el dinero, el ministro de gober-nación, amigo y socio en los negocios corruptos del diputado, sabía que en Miami no podrían confiar en la policía, pues la mafia tenía muchos a sueldo.

Avisar a la policía en Miami seria sentenciar a muerte al diputado.

El teniente Luque fue encargado de tratar de rescatar al licenciado Martinez, con pocas esperanzas de lograrlo.

Al llegar con visas de turistas a Miami junto a sus muchachos, preguntando por el apellido no tardó en averiguar que el viejo era un "pezzo da novanta", un peso pesado, un padrino que vivía en el último piso del Hotel Royal y que estaba bien protegido.

Se hospedaron en unos cuarto en el mismo hotel y se dieron cuenta que no sería nada fácil.

El cuarto del viejo era una fortaleza, frente a la puerta día y noche permanecían hombres armados.

Una noche dos muchachos de la fuerza especial anti secuestro, disfrazados de putas, no tardaron en neutralizar las desprevenidas guardias, al mismo tiempo el teniente llamó a una ambulancia.

El pobre viejo no opuso resistencia, se dejó inyectar el propofol y se durmió.

La ambulancia fue obligada a dirigirse hacia un aeropuerto cerca de Miami en donde los esperaba el avión de la gobernación.

Al no más llegar a la casa de la verdad y del recuerdo, ahí donde con dos electrodos en los testículos, al reparo de Amnesty Internacional, a los clientes se les sacaba el donde, el cuando, el como, con quien y el porque, con el tocadiscos tocando un bolero de amor a toda galleta para cubrir los aullidos, el viejito se convenció a llamar por teléfono a Miami para soltar al diputado y meterlo en un avión de regreso.

Por pura casualidad el avión que llegaba de Miami, en el que venía de regreso el diputado, era el mismo en que se iría de regreso el viejo.

Se encontraron en el aeropuerto, el viejito le sonrió y le dijo que la cuestión quedaba abierta, que no podía terminar así.

El diputado asustado cambió de nombre, se dejó crecer barba y bigote, se fue a vivir a España a un pueblito en Murcia, sin embargo a los seis meses, a la salida del banco donde le llegaba el dinero, dos escopetazos de "lupara" lo terminaron.

Algodón y Mafia

No es que los empleados de un banco al llegar a ser gerentes se hacen hijueputas, es que solamente los más grandes hijueputas llegan a ser gerente de un banco.

Los gerentes de bancos tienen mil gavetas para joder y hacerse ricos.

A la muerte del tío, cuando Manuel heredó doscientas manzanas de tierra en un pueblo donde la temporada sin lluvias era garantía y lo único que se podía sembrar era algodón, fue a "la Financiera Del Sur", banco de la trampa, a pedir un préstamo.

El gerente, de tercera generación de inmigrantes, de saco y corbata, con una orquídea viva en la solapa y dos master en economía en Harvard, lo recibió como que fueran grandes amigos. Alabó sus intenciones de emprender, declaró que el banco y él personalmente estarían a su lado por cualquier cosa, le aprobó un préstamo con un interés re negociable cada seis meses.

Manuel, quien había vivido en los Estados, donde los banqueros hijos de puta si no acababan en el bote terminan en la calle durmiendo debajo los puentes, cayó.

El gerente hace tiempo se quería meter a algodonero.

No se conformaba con el mejor hotel en la carretera panamericana, con la ganadería, todas cosas que se había cachado concediendo préstamos a quienes no podían pagar, y sobre todo, encontrando la manera para que el cliente no pudiera pagar.

El cultivo del algodón es cosa muy delicada. Cuando la plaga ataca hay que usar aviones para fumigar ya que el parásito no tarda mucho en destruir la cosecha.

Servía un préstamo para pagar a la Aviación Agrícola; ellos quieren la plata adelantada.

La Aviación Agrícola S.R.L. era del hijueputa gerente

del banco, que le prestó aun más dinero a Manuel.

Ahora el margen de ganancia sería muy pequeño. Era importante cosechar para salvar el algodón, vender y pagarle al banco y poner a reparo la tierra.

Para cosechar se necesita una máquina muy sofisticada, una que pueda recoger el algodón sin dañar la planta, también se acostumbra hacer dos pasadas a distancia de pocos días.

Cuando Manuel fue al banco a pedir dinero para la cosecha del algodón, el gerente, quien debía estar esperándolo, se negó a recibirlo.

La única máquina para cosechar algodón la tenía Roman Reyes que no tenía algodón y la alquilaba por hora.

En realidad la máquina era del hijueputa gerente del banco y Roman solamente la manejaba.

El hijueputa se quedó con la finca que sería rematada. Nadie se presentó a la subasta. Al segundo remate el gerente se auto financió para comprarla a precio de gallo muerto.

Manuel se regresó a los Estados a terminar sus estudios en Baton Rouge, Louisiana.

Ahí en la universidad Manuel conoció a Lucila, una muchacha de apellido Faraci, seguramente de origen italiano. A los tres meses de amor Lucila lo llevó a conocer a su abuelo.

Conociendo a Lucila, quien era una muchacha nada creída, no se esperaba Manuel que pudieran vivir en una mansión espléndida, con un gran jardín de árboles frutales, una piscina desmesurada, un garaje con varios carros de lujo y sobre todo, unos cuantos guardaespaldas armados.

El abuelo de Lucila, en contraste con este escenario, parecía una persona cordial, muy sencilla.

Se encontró muy bien, tanto que lo empezó a visitar todos los domingos, no solamente por la buena comida italiana, más bien porque junto al viejo le parecía estar en familia, jugando golf y pescando.

Fue así que entrando en confianza con mister Frank Faraci, su futuro pariente, se le ocurrió contar la triste historia del algodón.

No entendió porque Frank apuntaba todo lo que le contaba.

No podía saber que el abuelito tenía intereses de

negocios en su tierra, ni que clase de negocios eran.

A los pocos días una llamada telefónica anunció al hijueputa gerente que había alguien interesado en comprar la finca de algodón. El representante de la compañía que quería adquirir la finca se presentó, era un hombrecito minúsculo bien arregladito, se hizo llevar en carro y tomó muchas foto, quedó de hacer una oferta el día siguiente, una oferta que no podría rehusar.

Al día siguiente, mediante una llamada telefónica, le hizo la oferta de 300 dólares.

Creyó que la oferta era de trescientos mil dólares, pero no, eran trescientos dólares.

Arrecho colgó el teléfono, era una broma tonta.

Pero le quedó un muy mal presentimiento.

El día siguiente, cuando ya la angustia se le había pasado, lo llamaron avisando que el yate que tenía en el puerto, el sueño de toda una vida, había explotado.

En la siguiente llamada alguien le ofreció por la finca de algodón ciento cincuenta dólares.

Esta vez asustado se fue a la policía. Ahí le hicieron un montón de preguntas, pero no se explicaba el porque. No contó de la sinvergüenzada que había armado para comprar la finca de algodón.

El jefe de la policía prometió hacer todo lo posible para llegar hasta los culpables, pero sabía que estaba mintiendo.

En la tercera llamada le ofrecieron cien dólares.

Colgó, ahora estaba realmente bajo un ataque de pánico, no sabía que hacer.

No pudo dormir. En la mañana le avisaron que un incendio había destruido su casa de campo en Valle Bonito.

La misma voz al teléfono le avisó que la última oferta que harían sería de cincuenta dólares, luego tendrían que tratar con su viuda.

La finca fue vendida por cincuenta dólares a la "Algodonera del Sur S.R.L.".

Con Manuel de gerente.

El Padre Onorio

De tanto hablar mal del diablo en los sermones de los domingos en la iglesia de la colonia la Esperanza, el padre Onorio había logrado un buen éxito entre los parroquianos, tanto que en el infierno querían tomar medida al respecto para que la gente siguiera pecando.

Yolanda, la que le decían Lila, estaba re juntada con un hombre que de ninguna manera quería tener hijos aun si ella quería, eso también para cuando estuviera vieja y de esa manera no quedar desamparada.

Aconsejada por el diablo en persona fue a ver al padre Onorio. Le contó que quería tener hijos y que su hombre no, por eso solo le daba por atrás y como le dolía.

El Padre Onorio se tardó dos días en decidir si le ayudaría.

Se sacrificó personalmente, echando polvos con ella hasta que quedó preñada, ofreciendo de esa manera su sacrificio a la Virgen María.

Todos los días la mujer llegaba a la casa cural, cuando por el calor todos estaban encerrados, luego pisaban.

La mujer se encargó de despertar el gran animal que estaba dormido en él desde hace muchos años.

El padre Onorio durante el polvo rezaba "ora pro nobis pecatoribus nunc et in ora mortis nostrae Amen".

Rezando, y pisando.

La oración lo distraía, el polvo se volvía muy largo y a los gritos de placer de la mujer, él más fuerte rezaba.

"Ora pro nobis pecatoribus et nos inducat in tenatazionem sed libera non a malo Amen".

El diablo no estaba nada contento, así que un día agarró la verga de padre Onorio y la desvió para que entrara en el hoyo prohibido.

"¡Ah! Dijo la mujer ¡Usted también Padre!"

"A estas alturas hay que seguir pecando", contestó ya que la cosa le estaba gustando y no se salió hasta llegar al final, sin rezar...

Lila se fue y no volvió, el padre Onorio en pecado se fue a confesar donde el obispo que lo condenó a un mes en una casa en donde los curas pecadores pasaban en oraciones y sermones.

Lila quedó preñada y parió gemelos: Arcadio y Onorio.

El Teniente Luque – El Caso Alvarado

El teniente Luque había estudiado en el liceo militar, siguió después en Estados Unidos, donde luego de cursar la carrera de derecho sacó un master en criminología, y a su regreso al país ingresó en la policía.

Tenía el vicio de la elegancia, con sus trajes a la medida hechos por un sastre en los Estados, sus camisas de seda, sus corbatas italianas, cachemires ingleses y zapatos Florsheim.

Trasladado a Barranquilla organizó el D.I.E., un departamento que no tenía que dar cuentas a nadie más que al ministro de gobernación...y eso a veces.

Tenía su propio sentido de la justicia: el criminal comprobado que caía era muy difícil que llegara a su juicio, siempre le pasaba algo, según él era para ayudar al precario presupuesto del sistema carcerario.

En las afueras de la ciudad el D.I.E. tenía una bonita casa con una yarda bien chapeada, un jardín lleno de flores. Al frente, en una placa, se leía Centro Nacional de Estudios Superiores de Herpetología, pero era un centro experimental donde se desarrollaban nuevos métodos de tortura que no dejaran marca, ya que los pendejos de Amnesty Internacional siempre estaban pendientes para joderlos.

Los cadáveres que aparecían en las aguas del río no mostraban ninguna seña de violencia ya que antes de tirarlos les metían agua del mismo río en los pulmones, a presión, eso según el método de antaño usado antes por la policía de Chile, para que el médico de la morgue no tuviera duda que se trataba de simples ahogados.

El teniente estaba convencido de que hay que combatir la criminalidad olvidando los derechos humanos; ese es un derecho reservado a los humanos y no a los criminales, enemigos de los humanos.

Y para alcanzar resultados a veces se necesitaba la mano pesada: ¡Y que mano!

Desafortunadamente después de la estadía en las

oficinas secretas del departamento de investigación especial el cliente debía ser puesto en la condición de no poder contar lo que ahí pasaba.

Los pendejos de Amnesty Internacional siempre estaban listos para hacer un escándalo.

En el departamento trabajaban policías selecciónados y se auto financiaban decomisando lo que querían, sin dar cuentas a nadie, siempre repartiendo lo que se cachaban entre ellos para que ninguno pudiera acusar al otro, ya que todos estaban en la misma vaina.

Habían celdas tan pequeñas que el huésped cabía solo de pie.

Los que tenían la mala suerte de tropezar con el D.I.E. lo más probable era que desaparecieran sin dejar rastro, pero a veces regresaban flotando en el río y entonces se decía que habían ido a bañarse imprudentemente, sin saber nadar.

El teniente era discípulo de Lombroso, un médico criminólogo y antropólogo italiano, que decía que la genética es la base de todo, que la hija de puta será puta, el hijo del criminal será criminal y consideraba la eliminación física de todo delincuente para que no se reprodujera… un deber hacia el pueblo.

Ademas creía ser un patriota.

Enchapado, de buenos modales, siempre bien tiradito, nunca levantaba la voz, nunca una mala palabra, siempre atento.

En el fondo era un cruel asesino torturador, convencido de servir a una noble causa sentenciando a todo delincuente que caía entre sus garras.

Su especialidad era encontrar al delincuente, a veces con poco más que un cadáver como indicio...

A Andrés Alvarez se lo echaron desde una moto verde, utilizando una Uzi defender calibro nueve, frente al banco central, en el mero centro de la ciudad.

Unos jóvenes transeúntes reconocieron la moto, era una Kawasaki, un modelo muy deseado que recién salía a la venta.

Andrés resultó ser chofer de buses. El cuerpo quedó tirado en la acera, mal tapado con una sábana chuca, con las moscas que retozaban felices en la sangre.

Como de costumbre el juez que tenía que hacer el levantamiento según la ley estaba de goma en el burdel de la negra Eufemia en el barrio chino y se atrasó.

De bache en bache el teniente Luque llegó hasta la casa de Andrés, en una colonia de cuarterias y de gente humilde, mas lo que estaba adentro no tenía nada que ver con lo da afuera, una pantalla mastodóntica de televisión, un equipo de sonido Bose de lo mejor y hasta un jacuzzi.

Un viejo pick up ford 150 escondía un poderoso V8, breques de disco y suspensión neumática, algo realizado en el exterior, caro y a la medida.

Adentro de un ropero el teniente descubrió un espacio secreto en donde encontraron una carabina Sako calibre 17 HRM con telescopio, un arma de gran alcance a pesar de un calibre diminuto, además una escopeta Mossberg calibre 12 de bomba, una escuadra Smith Wesson Modelo M59 calibre nueve milímetros, otra Beretta modelo 92 en 9 milímetros con sistema de puntería láser parabellum, un revolver Smith Wesson K 22, gran cantidad de municiones y las llaves de seis cajas de seguridad de seis diferentes bancos en donde se encontraron más de cuatro millones de dólares en billetes de a cien.

Una verdadera cacha para el D.I.E.

De la Casa Rosada, el burdel más exclusivo de la ciudad, arcadia de los políticos, de altos grados militares y de los importantes funcionarios públicos, en donde el teniente tenía orejas a sueldo y donde Andrés a veces llegaba y parecía tener amistad con políticos, no salió nada. La investigación topó ahí.

Quedaba de investigar la moto.

En la Kawasaki declararon que el modelo recién había salido a la venta, que solo habían llegado veinte motos de ellas, quince en color verde y cinco en color negro, solo se habían vendido cinco, cuatro verdes y una de color negro, tres en la capital y dos en Cartagena, la negra y una verde.

La moto verde de Cartagena resultó vendida y pagada al contado, en dólares americanos, los papeles estaban a nombre de alguien que no tenía nada que ver, un pachanguero que vivía bebiendo y buscando dinero para eso.

Seguramente la moto sirvió para pagar un sicario.

Había que buscar un sicario con una moto Kawasaki ER6 verde en Cartagena.

Diez agentes del D.I.E. se trasladaron a Cartagena de Indias, visitaron los barrios más peligrosos, los burdeles, las cantinas, los lugares donde se vendía basuco, una cocaína impura que fuman los jóvenes para no ver la torcida realidad de la vida.

Al fin dieron con un muchacho jovencito con una Kawasaki verde, lo siguieron, lo agarraron y se lo llevaron a Barranquilla.

Después de dos días de permanencia en una celda donde solo podía permanecer parado, en la sopa de sus orines y de su mierda, lo dejaron cocinar hasta que la manguera de agua helada lo dejó bien limpito y dispuesto para recordar todo, por la duda que algo se le olvidara lo conectaron un ratito a la máquina de la verdad, un electromagneto conectado con dos electrodos en los huevos y un disco de Los Tres Diamantes con un bolero de malos amores para que el vecindario no se asustara por los aullidos.

La memoria le regresó, la moto se la había regalado un sargento del ejército que en la placa de identificación que traía puesta en el pecho se leía "R. Martinez".

Al sargento Martinez no tuvieron que buscarlo, apareció solo, se había pegado un tiro de 45 en la cabeza.

El teniente, luego de visitar a la viuda, se convenció

que al hombre lo habían suicidado para taparle la boca. Tenía una esposa bonita, dos hijitas lindas, todo el vecindario y los amigos decían que el sargento era una persona alegre, nadie creía que podía tener alguna razón para meterse un balazo.

Según la viuda, el sargento había sido chofer del general Alvarado, quien había sido acusado por un periodista exiliado en Panamá de ser la mera verga de un cartel de la droga.

El periodista había sido luego asesinado con un tiro de carabina calibre .17, frente a un hotel donde vivía en Balboa.

Todo estaba aclarado.

El general Alvarado salió en el periódico. Había perecido en un fatal accidente cuando su carro se desbarrancó.

Además reportaban la muerte de un muchacho que se había ahogado por meterse al río sin saber nadar.

Melida

Melida vivía con la abuela en el Chorizo, un barrio nacido luego de la llena del río, antes de que la alcaldía decidiera construir dos cuadras más abajo el basurero municipal. La mamá era una puta de altura, graduada del burdel de la negra Eufemia en el Comajón. Desde muy temprano Melida empezó su carrera criminal como carterista en los busitos.

Dentro de un bus lleno hasta la mierda escogía al cliente y se le echaba encima; con una hoja de rasurar cortaba el pantalón mientras se la apretaba, cuando la cartera se deslizaba en una de sus manos, con la otra trabajaba la braqueta del pendejo, a tientas sacaba el dinero y dejaba caer la cartera en el suelo, una técnica que con el tiempo perfeccionó.

No pudo seguir en eso, pues con el pasar del tiempo muchos choferes podían llegar a reconocerla.

Después de una temporada de putería junto a menores de edad, en una casa para políticos ricos, frecuentada por altos grados de la administración pública y militares, eso a pesar de la ley contra la prostitución de menores, se cachó un viejo hombre de negocios, un gringo viudo y diabético, se casó con él y se fue a vivir a los Estados Unidos, a Savannah, Georgia.

Cuatro años se tardó para aprender inglés y conseguir pasaporte americano. Logró deshacerse del marido incómodo, quizás con la ayuda de una dosis exagerada de insulina. Luego se regresó al Chorizo, compró una casa a una familia que se había largado de ahí, corrida por el tufo del basurero municipal, y puso su oficina de usurera.

Vivía bien, Melida. Al parecer el mal olor que se levantaba con la brisa de la noche soplando desde el basurero y que se hacía siempre más desagradable, no le molestaba, más bien le gustaba.

En el barrio del Chorizo, un barrio de feliz miseria, quedaban los que no tenían recursos para largarse, las putas de cabotaje, las viejas para los polvos clandestinos de los menores.

El gobernador político, quien tenía nietos, había prohibido a los menores frecuentar los burdeles oficiales de la ciudad.

Ahí habían polvos para saciar a los pobres, a peso el polvo.

En un taller, Felix, un carpintero chambón, hacía trocos que vendía o alquilaba a los vendedores de naranjas. El taller de mecánica de precisión de Elias arreglaba toda clase de cachivaches, desde piezas de carros, a escopetas, a rifles, revolver y escuadras.

Frente al solar baldío estaba la trucha de doña Brovelia; vendía toda clase de cosas, a veces en forma de cambalache. Y en una champa de bahareque abandonada vivía una colonia de pachangueros que salían todas las mañanas a rebuscarse sobras en los restaurantes del centro. Conseguían comida y alguna contribución en efectivo. Reunían lo suficiente para sentarse en su casa a las cinco de la tarde a comer y a beber un "vino santo", así decía la etiqueta, que de uva no tenía ni mierda pero sí suficiente alcohol para tenerlos felices chabacaneando hasta que bajara el sol.

Al lado de la pachanga Jorge el zapatero, un verdadero artista y restaurador, le daba nueva vida a los zapatos hediondos que le conseguían los cipotes que vivían en el basurero recogiendo cartones junto a todo lo que podía ser útil para vender en el mercado.

La costurera Maria del Carmen tenía una máquina de coser checoslovaca y se dedicaba a re acondicionar y parchar ropa, eran siempre harapos que salían del basurero, mientras Margot, una puta retirada, criaba y vendía carne de cerdo.

Y en el fondo del barrio, el que se desarrollaba a lo largo por estar cerca del viejo ferrocarril bananero, había una destilería clandestina que destilaba toda clase de vegetales orgánicos, desde cáscara de fruta como la de piña a fruta podrida, hasta cáscaras de papas provenientes de una fábrica de papas fritas, de esa manera producían un guaro, puro vodka, el mejor del país.

La destilería estaba bien protegida por el tufo del basurero; este ayudaba a esconder el olor de la guarería.

Algunas mujeres recogían ropa en las casas de los ricos, lavaban en el río de piedras y planchaban en la casa.

El basurero era un recurso y al mal olor uno se termina acostumbrando.

Doña Melida siguió puteando hasta cuando alcanzó el cuerpo de una abuela, entonces armó un equipo de escort, o sea putas con buen cuerpo, se las echaba a los viajeros importantes, comerciantes y empresarios que llegaban al pueblo, para así mejorar los negocios.

Melida tenía ropa de lujo de los mejores estilista de Europa y ropa interior de encaje, roja o negra, zapatos de tacón, ropa traída desde los Estados para transformar a una puta en una escort, algo a veces muy difícil. A pesar de que estaban bien maquilladas, con pestañas postizas y bien vestidas, fumigadas con Chanel n.5. la putería siempre se volvía a asomar en ellas.

Era tarea difícil promover putas faltas de buenos modales a escort, nada más utilizando ropa, perfume y maquillaje.

Les cobraba comisión por polvos y el alquiler por la ropa fina.

Melida conseguía entre los cipotes que vivían en el basurero carne para saciar a los pedófilos y cuando conseguía una virgen vendía el estreno a los interesados.

Parece que habían muchos.

Una muchacha de 15 años se vendía a buen precio.

A las jovencitas que se querían graduar en putería daba clases de como se maneja la verga.

Era con la trata de las blancas que Melida se sacaba el clavo. Prometía matrimonio a muchachas en el exterior, les arreglaba todos los papeles y las enviaba a los prostíbulos de una organización criminal en Panamá. Luego de las pobres no se volvía a saber nada.

Vendía los recién nacidos que las putas no querían a las parejas que deseaban tener hijos.

Pero un día tratando de engatusar a una belleza, la hija de una lavandera, para después venderla virga a un empresario Suizo que estaba dispuesto a pagar bien el estreno, consiguió un cuchillazo en la garganta.

La llevaron en un troco al basurero, desnuda la descargaron en el lugar donde la empacadora de carne dejaba a los gallinazos y a los perros los restos, para deshacerse de esa manera de lo que no podían utilizar.

En pocas horas de Melida quedo muy poco.

Alguien contó que se había ido para Trinidad.

Para el Chorizo fue una fiesta grande, ya que Melida era una espina en el corazón del barrio.

Se metieron a la casa y se repartieron todas sus pertenencias. Con el tiempo de la casa quedó el puro cascarón. Se levantaron muebles, puertas, ventanas, tuberías y alambrado.

De esa manera toda casa del Chorizo traía adentro algún recuerdo de Melida.

Un Cuchillo en el Corazón

Con el azafate del desayuno en las manos y esperando el vuelo para Cartagena buscaba una mesa
desocupada, la única disponible estaba ocupada
por una mujer joven, me le acerqué y pedí permiso
para sentarme, me dijo que sí con la cabeza, sin ni
siquiera mirarme.

Me senté a desayunar, era una muchacha verdader-
amente bonita, usaba poco maquillaje, una gargan-
tilla de perlas menudas al cuello, un anillo con una
pequeña piedrita verde.

Luego del despegue del avión se me acercó la aeromoza y me preguntó si quería pasarme a primera
clase, en aquellos años al comprar el boleto con
tarjeta de American Express cuando quedaban

asientos vacíos te daban la oportunidad de moverte a primera clase.

Quedé sentado al lado de la mujer bonita, una suerte, parecía algo predestinado.

Nunca un viaje en avión fue más corto y placentero, la mujer parecía interesada en mi trabajo de periodista y escritor, de ella no pude saber nada más que era representante de un empresa y viajaba mucho al exterior.

Al llegar a Cartagena me dejó su teléfono y ella apuntó el mío.

Esperé varios días su llamada y nada.

La llamé, una voz con timbre inexorable me informó que el número no existía.

Me quedé varias semanas trastornado pensando en ella, me sentía engañado y traicionado, a veces pensaba que ella me había ilusionado a propósito, que el interés mostrado hacia mí había sido una excusa para no tener que hablar de ella, que en realidad nada le importaba, llegando al punto de darme un número de teléfono inexistente.

Pasaba muchas noches en el barrio chino, haciendo

el amor con cualquiera, con la luz apagada, para imaginar en algo mejor de lo que en realidad me tocaba, todo para olvidarme de ella.

La encontré cuando menos lo esperaba, frente a mi casa, en el parque de San Nicolás.

Me contó que había estado fuera, en el exterior, que había extraviado mi teléfono y pedía ser perdonada.

Fuimos a almorzar juntos y luego pasamos juntos tres semanas de amor.

Después de eso tuvo que salir de viaje.

Por una semana estuve por las nubes esperándola, entonces decidí a su regreso pedirle que nos casáramos.

Al llegar ella probé una gran emoción, desde cuando tocó el timbre de mi casa.

Nuevamente pasamos tres semanas de sueño y amor, y luego otra vez se fue.

Me prometió que dejaría el trabajo cuando volviera, para quedarnos siempre juntos.

En esos días me tocó viajar a Panamá a recibir un

premio literario de poesía Latinoamericana, por un librito de poesías de amor que había escrito inspirado en ella.

Después de la ceremonia unos amigos panameños escritores me invitaron a salir "de ronda", fuimos a parar en la más lujosa casa clandestina de putas de Panamá.

Al no más entrar la reconocí.

La puta más bonita, era ella, mi novia, mi futura esposa.

Mis compañeros de parranda creían que eran los tragos la causa de mis mareos, a mí se me partía el alma y un cuchillo se me enterró en el corazón.

Al regreso a mi casa el teléfono empezó a sonar insistentemente, sabía que era ella, creo no me había reconocido esa noche, descolgué el teléfono.

El día siguiente empezó a sonar el timbre de la puerta, me quedé llorando en silencio hasta que dejó de tocar.

Mayra

Se levantó temprano a regar sus plantas antes que el calor horroroso de un verano sin precedentes explotara y la encerrara en el aire acondicionado de su cuarto con la radio encendida escuchando "Radio la Mundo", cuando de repente la voz del locutor anuncia: "estamos dedicando este bolero, 'Sigamos Pecando', de parte de Mina con todo su amor a Juan de Dios Reyes, que tenga un lindo día".

Después de la crisis violenta, resultado de escuchar que otra mujer enviaba una dédica a su esposo, se puso a pensar y parada frente al espejo empezó a hacerse una profunda autocrítica.

Con los años se había engordado, había echado un gran culo y bastante panza, las tetas después de dos hijos se le habían aflojado, la cara arrugada, hasta el largo restauro diario no la podía mejorar, y el pelo mismo, no era la cabellera frondosa de un tiempo.

El tiempo no lo había perdonado tampoco a él, tenía una gran panza, se había quedado pelón y decididamente estaba feo.

Su esposo tenía ahora una mujer que debía ser una penca...

¡Enviar por radio una declaración pública!

O quizás era muy lista intentando de esa manera que estallara un escándalo, queriendo así que dejara a su esposa.

Debía ser motivada seguramente por pisto.

El asunto debía haber empezado desde hace dos meses, cuando él había dejado de cumplir en la casa con sus deberes, los dos polvos semanales, con la excusa de frecuentes dolores de cabezas.

Hoy ya entendía el porque la había dejado sin su dosis semanal de sexo.

Uno realmente la pija, que en otros tiempos la hacía literalmente aullar, aun si no le hacía mucha falta:

el olor a cabro macho, que antes le gustaba y ahora detestaba, el peso, la gran panza que le quitaba el aliento y la hacía fingir para que él se apresurara en terminar.

De igual manera no podía dejarse hundir en el ridículo por una pendeja que dedicaba unos boleros de amor a su esposo.

Se fue a ver a una compañera de primaria, Melida, quien se había dedicado a la putería, graduándose como puta de altura en los mejores burdeles de la ciudad.

Anteriormente Melida se había ido a vivir a los Estados, donde se casó con un viejo que le había dejado una buena renta, uno que después de unos pocos años la había dejado libre, muriéndose.

Había regresado a su barrio, el Chorizo; ahora tenía fama de experta en este tipo de asuntos, sin duda manejaba los más sucios de la ciudad.

Además de rufiana era usurera y se dedicaba a explotar un team de putas y putitas para toda clase de clientes, poseía un negocio de trata de blancas con las casas clandestinas de lujo de Panamá.

Tenía muchos años de no verla pero igual se fue al

Chorizo, ahí donde Melida reinaba y dominaba sin ninguna oposición.

Feliz estaba Melida de ver a su compañera, más que todo por notarla hecha mierda como ella en el cuerpo y también husmeando de paso un buen negocio.

Cuando las señoras de las mansiones bajaban al Chorizo siempre le llegaba buena plata.

No tardó Melida en averiguar que Mina tenía una casa en el barrio Medina. Le mandó a decir a Mayra que se vieran en la iglesia.

Era mejor que no volviera al Chorizo.

Le contó que la cosa estaba difícil, la muchacha estaba preñada, no la podía despachar a Panamá porque preñada no la aceptarían, era una lástima ya que era bonita y se podía vender a buen precio.

Tenía dos hombres que la podían ahogar en el río por 2000 dólares, pero la policía tenía una máquina de la verdad, 10 voltios y 5000 amperios, que conectados a los testículos al cliente le hacían maldecir el momento en que sus padres se echaron el polvo que los hizo nacer, que igual le hacían recordar toda su vida, desde la niñez, además "el como, el cuando, el porque" y sobre todo a cuenta de quien.

Podía hacer el contacto y cobrar el 20% pero tampoco lo aconsejaba. Por 250 pesos le podía traer un asesino desde Santa Marta para pegarle una gran vergueada a la muchacha y quebrarle una pierna, o quebrarle las dos por 350, prometiendo también que la iba a matar si no se largaba inmediatamente.

La tentación era grande, la rabia por el ridículo la hacia capaz de cualquier cosa, pero no tenía suficiente valor la pobre, le dijo que tenía que pensarlo.

Decidió al fin ir a buscar a Mina. Le ofreció trabajo en su casa, podía ser por las buenas o por las malas, pero la situación se podía poner muy fea para ella, pues a todo estaba dispuesta.

La solución fue inteligente, ya que Juan de Dios, al vérsela en la casa quedaba con las ganas de coger y no podía pisar con la joven, tenía que ser con la esposa.

En la noche al cuarto de la sirvienta le ponía candado y solo ella tenía la llave.

El Lagarto Dormido

Estaba sentado en un café desolado con intenciones de pastorear el tiempo, no muy lejos del parque Bolivar en la calle 53 de Bogotá, en la espera desesperada de una plata que nunca llegaba, para así comprarme el pasaje de avión y regresar a mi casa en Barranquilla.

Por la noche un sueño feo, que ya no lograba recordar, me había dejado trabado en su telaraña, y sin saber el porque, con malos pensamientos.

Lo que me quedaba de dinero ajustaba nada más para tomarme un plato de sopa de hueso en un hediondo comedor, mis pocas pertenencias estaban decomisadas por el dueño hijueputa del cuartucho que alquilaba en las callecitas malolientes del barrio

La Concordia; solo le debía dos meses de alquiler.

Tuve la sensación que alguien me estaba espiando, me di vuelta y por encima de mi hombro descubrí que una mujer me sonreía. Del otro lado no había nadie, la sonrisa era toda para mí.

En el instante pensé en una mujer da alquiler, quiero decir una puta, o como decía un amigo italiano, "una zoccola". Me hubiera caído bien pero por otro lado era la última cosa que necesitaba en ese momento.

Luego de un examen más detenido llegué a la conclusión que no podía ser una puta, estaba vestida como una verdadera dama, arropada en un abrigo de nucas de visón, no sería suficiente el sueldo de un año entero de dos carteros para comprarlo.

Me atreví a pensar que podía ser una mujer sola, deseosa de "un esposo de una noche", una probabilidad poco factible para mí en realidad, por ser feo con ganas, por eso estaba a salvo de toda vanidad, además andaba vestido con ropa ajada, por dormir con ella puesta, eso era culpa del hijueputa, no tenía mudada de ropa.

Curioso le devolví la sonrisa y ella me hizo seña de sentarme a su lado.

Usaba un perfume dulce y suave, nada agresivo como los que usan las mujeres "en venta", me senté algo retirado ya que después de no bañarme por una semana tenía miedo de asustarla con el tufo a cabro que me cargaba, el hijueputa le había también puesto candado a la ducha del cuarto.

Me invitó a almorzar, quería ofrecerme un trabajo.

Nos fuimos al restaurante "El Esturión", uno de los buenos, entre la calle 46 y la carrera 58.

Después del doloroso ayuno, apenas con el consuelo de una miserable sopa de hueso, ahí estaba sentado con un babero que lucía más de peluquero que de restaurante fino, utilizado para poder hartarse con las manos sin embarrarse de grasa y chorrearse con la salsa al estilo de los restaurantes en el barrio de "Testaccio" en Roma, donde "la coda alla vaccinara" se come estrictamente con las manos.

Me atoré dos costillas de buey al carbón, con bordes de grasa tierna, una monumental ensalada de legumbre fresca chorreada con aceite de oliva italiano y pan blanco, todo ahogado con cervezas alemanas.

Ella pidió un lenguado hervido, con aceite de oliva y espinacas al sartén en mantequilla y ajo, con un vaso de vino blanco.

Le conté que estaba solo en Bogotá, que había terminado los estudios de leyes y estaba esperando el dinero desde mi casa para volver a Barranquilla.

Ella tenía que viajar en carro hasta Cartagena de Indias, tenía miedo a viajar sola ya que no sabía manejar bien, tenía que llevar en el viaje un baúl.

Acepté, estaba harto de esperar.

Nos pusimos de acuerdo. Con el dinero que me entregó adelantado pagué al hijueputa, recobré mis libros y mis harapos.

De su casa arrancamos en un lujoso Jeep Wagoneer. Llevaba de carga un cajón estilo ataúd, con unos hoyos en la tapadera.

Me dijo que había adentro un lagarto. El animal, junto a otros de su especie, vivía en la piscina de su casa. Un día al echarle de comer se le había soltado una valiosa pulsera de puras esmeraldas que le quedaba floja y que el animal se había tragado junto al pedazo de carne.

Lo llevaba para que lo operara un especialista en Cartagena.

La historia era tan improbable que no se podía aceptar como no verdadera.

Poco afuera de Bogotá la policía nos paró, le pidieron los papeles y quisieron ver al lagarto.

Bajaron el cajón del carro, los militares de la capital no conocían lagartos vivos, al abrir el cajón encontraron un hombre dormido, barbudo y peludo, con la cara sonriente, envuelto en una fina cobija de alpaca blanca, con la verga grande y bien parada.

Me encañonaron pensando en un secuestro de persona, nos llevaron a la oficina del escuadrón militar anti secuestros.

Ahí la señora se decidió a hablar, con los militares todos sentaditos como niños asistiendo a catequesis o al asilo.

Empezó el relato...

Hace unos meses haciendo el amor, ella montada encima de su esposo, después de un largo rato ya cansada se bajó y se dio cuenta que él estaba bien dormido, con la verga aún parada.

Lo dejó en la cama y salió de compras. A su regreso él seguía bien dormido, siempre con la verga parada como poste.

Se le volvió a encaramar para terminar lo que había empezado, nada, el hombre solo movió una mano y no daba ninguna otra señal de quererse despertar.

Lo llevaron en una ambulancia al hospital. Después de un chequeo completo lo declararon en buena salud, padecía de priapismo vascular idiopático, con un órgano tan grande que reclamaba tanta sangre, y con la gran verga enalberada, al cerebro le llegaba demasiado poco, el cuerpo se había puesto en letargo.

La razón de porque el polvo no se completaba no lo podían decir con certeza, le aconsejaron de llevarlo a la casa, montarlo dos, o mejor, tres veces al día por unos cuarenta y cinco minutos, a ritmo de cumbia, alimentarlo diariamente con tres aguacates licuados y yema de dos huevos, frotarle la pija con paños mojados frescos y rezarle a la Virgencita de Chiquinquirá que le devolviera el esposo.

Pasaron los días y la vela no se apagaba.

Por pena no quiso relatar a los militares que pudo más el cansancio de una rutina inaguantable, y hasta más que los celos, pues le tuvo que pedir auxilio a sus mejores amigas, todas felices de enchutar y recibir la gran tranca, sin remordimientos, ya que estaban realizando una obra de caridad.

Todo fue inútil, el señor dormitaba beatamente y muy poco mejoraba, aún si ahora movía las dos manos, acariciaba a las mujeres y también meneaba las caderas.

Parece que en Cartagena de Indias había un curandero que con leche de sapo esparcida en la pija lo podría despertar.

Los militares se convencieron, hasta le entregaron un salva conducto para seguir viajando sin problemas.

Llegamos bien.

Pensé que ella hubiera podido sacar provecho a la desgracia cobrándole a las amigas un peso por minuto.

Me fui para la casa. No he vuelto a saber nada de ella y del hombre que dormía feliz, que no quería despertar.

Pantaleon Pacheco

Unos compradores de ganado chapines le regalaron al coronel Mata un revolver calibre 38 niquelado, cañón largo, cacha de concha de nácar, de funda y cinturón con decoraciones de plata, como aquel que usaba Vicente Fernandez, pero el coronel estaba acostumbrado a la escuadra Ithaca modelo 45 ACP, property of U.S.A. Además era un revolver penco que daba vergüenza hasta enseñarlo.

Decidió entonces regalarlo al capataz de una de sus haciendas, "El Estribo de Plata", a Pantaleon Pacheco Portillo, tal vez para endulzar el hecho de haberle desvirgado y dejado panzona a la hija de 15 años, pero sin parque ya que nunca se sabe.

El revolver irrumpió en la vida de Pantaleon, y poco

a poco empezaron los cambios.

Pasaba muchas horas limpiando y contemplando el revolver, donde quiera lo cargaba, dormía con él en la hamaca y comía con el revolver. Se hizo también más altanero.

Él, quien siempre había sido comprensivo con los trabajadores, se puso más exigente e intransigente. Con las mujeres era ahora más "piroposo". Se dejó crecer unos bigotes estilo mexicano, como Vicente Fernandez, compró un par de botas usada estilo texano, aguantando que le quedaban apretadas, y adquirió un falso sombrero Stetson.

El revolver no tenía parque; cargado hubiera sido mejor pero igual lo andaba con orgullo, como muestra de una posición social que había ganado. Por las noches empezó a frecuentar muy seguido una cantina en la aldea Las Peñitas, ahí cerca de la hacienda, donde las meseras eran también putas, y comenzó a ponerse a pjia a menudo. Era una cantina donde paraban todos los maleantes del vecindario.

Una noche oscura, regresando del burdel bien a verga, no se dio cuenta el caballo, quien bien conocía el camino hacia al El Estribo, de un mecate que le habían tendido entre dos madriados. Cuando el animal se topó con el mecate, asustado se levantó en dos patas y Pantaleon medio dormido voló hacia un lodazal, al no más aterrizar unas sombras salieron de un matorral y lo aligeraron del revolver.

El caballo regresó al Estribo solo; los hijos fueron a buscar a Pantaleon y lo encontraron tirado en el lodo. Lloraba y se arrancaba el pelo.

Temprano el día siguiente Pantaleon se fue a la ciudad, entró a la oficina del gobernador que estaba en reunión con un amigo. Empezó contando que le habían robado su revolver y exigió que se lo buscaran. El gobernador se levantó; fingía estar en cólera para demostrar al amigo que era uno fuerte, se puso a gritar que por el robo tenía que seguir la jerarquía y primero debía acudir a la policía y cuando Pantaleon dijo que no tenía ninguna confianza en ellos, el gobernador se levantó nuevamente gritando y pegó un vergazo con la mano al escritorio.

El pobre Pantaleon se desmayó.

El Gobernador estaba feliz, había demostrado al amigo que con solo su voz lograba desmayar a un hombre.

A Pantaleon lo llevaron en ambulancia al hospital donde estuvo tres días delirando que le devolvieran su revolver. Al tercer día murió.

Taufic

Después de deshornear seis hembras, una al año (y se sabe que para los árabes las hijas hembras son una desgracia) la paquidérmica esposa de Fuad Kawas, alimentada con pistachos de Palestina, parió un varoncito. Fuad se puso zurumbo y lloró al contemplar el par de huevos desproporcionados del tierno. Fue gran fiesta.

Crecía bien el pequeño Taufic. Desde cipote, después de hacer sus tareas, se quedaba en la ferretería de los Kawas en la calle del comercio, "La Almágana de Oro", la más surtida ferretería del pueblo.

Un día el tío de Taufic, Taufic, llevó al cipote unos días a pescar. A pesar que el hermano le había recomendado que no lo llevara a comer puercadas, que se duchara todas las noches, que le hiciera cepillar los dientes, que no faltara de recitar sus oraciones antes de acostarse, que no quería que trasnochara, que fuera a la iglesia el domingo, el tío Taufic, un viejo joven de bucles vaselinados que nunca se había casado, le gustaba demasiado la pesca, las putas y el amor a la francesa. Nunca repetía: jovencita o anciana, blanca o trigueña le daba lo mismo, vivía embramado. Orgullosamente contaba que desde su primera vez no había pasado un día sin echar un polvo. "Lo que es carne al gancho" decía.

Cuando el pequeño Taufic estuvo dos días en el hospital para que le quitaran unas verrugas, el tío Taufic había logrado convencer a la enfermera de noche: "Mercedita, desde cuando no te echás un polvo?" La vieja, que estaba jubilada del sexo, aceptó.

En la capital al cipote, el tío Taufic no pudiéndolo dejar solo en el hotel, lo llevó a la casa clandestina de putas de un distinguido señor español que vendía paella para llevar y tenía las mejores hembras de alquiler de la ciudad. Lo entregó a una monumental puta que se lo llevó chiniado al cuarto. Era de la idea, el tío Taufic, que para la educación sexual era necesario conocer el sexo precozmente y prácticamente, no a palabras como unos curas que cuentan papadas. Según Taufic, el sexo, dono del cielo, no podía ser pecado. Tampoco era cosa de aprender en la escuela.

El niño Taufic regresó que no era el mismo de antes. Todas las noches cuando los demás estaban acostados, salía de la casa. Por un bufalo conseguía la bicicleta Hercules del wachiman alquilada y se iba al barrio del Chorizo. Las monedas de plata de aquel antaño, que el papá le proporcionaba en pago de trabajar por las tardes en la ferretería, terminaban enteradas en el regazo de Petrona, una vieja puta borracha asquerosa, sucia, chuña, piojosa y con solo un diente.

El niño Taufic acostumbraba a meter todo daime y bufalo de plata en una alcancía en forma de chancho que Fuad de vez en cuando tanteaba el peso y se alegraba que el cipote no gastaba la plata en pendejadas y ahorraba, como él había hecho para hacerse rico. Pero un día que necesitaba moneda suelta para la tienda, tanteando la alcancía se dio cuenta que rebozaba. El martillazo reveló que el chancho de cerámica estaba lleno de arandeles. No habían ni búfalos ni daimes.

Bulnes, un feroz empleado que se encargaba de los cobros, terror de los clientes morosos, investigó y reportó que el cipote salía de noche con la bicicleta del wachiman pedaleando hasta el Chorizo, un barrio donde la vaharada a pudrición del basurero municipal todo envolvía, donde unas putas echadas de las casas de lujo por ancianas y muy gastadas pero graduadas en los mejores burdeles, que conocían la raíz de todas las perversiones, profesoras con master en los tres platos, tenían unos cursos de sexo básico para menores. Se dedicaban a dar clases de técnica de amor a los niños para que una vez casados conocieran como hacer felices a las futuras esposas y para que el novio en la primera noche de la luna de miel no fallara y no tuviera dificultades. A peso o fiado, saciaban las urgencias de todo menor, sobre todo desde que el gobernador político, el general Meza, preocupado por la salud del montón de sus nietos, había cerrado el portón al paraíso de las buenas casas clandestinas para los menores de quince años.

En la noche a las tres puertas de la casa le pusieron tranca con candado y las ventanas tenían berja entonces nadie podía salir. A la pobre Petrona, Bulnes y otros dos la secuestraron y maneada en una camioneta la fueron a dejar botada en un pueblo perdido en la selva de donde dicen que se tardó meses en regresar al Chorizo, cobrando polvos a peso para hartarse y chupar, caminando y pidiendo jalones.

El pequeño Taufic se puso triste. Dejó de comer. La mamá quería llevarlo donde el doctor. Fuad sabía lo que pasaba; como los gatos estaba embramado pero no decía. Se estaba adelgazando y la luz de sus ojos se iba apagando. Taufic se estaba marchitando como una pija después de un polvo.

Fuad no podía soportar que su único hijo se estuviera muriendo y decidió proporcionarle aquella medicina que le faltaba. Después de almuerzo, salió con Taufic mintiendo que lo levaba donde una psicóloga. En vez se fueron a una casa de putas, y se lo entregó a la más bonita, a que le sirviera todo lo necesario y más para curarlo. Mano en la mano los dos desaparecieron detrás de la puerta del cuarto.

Fuad estaba preocupado, pendiente de los ruidos, pero nada. Dos horas de terapia y el niño salió contento. La muchacha también feliz y sonriente, tal vez cansada de viejos gordos y viciosos. En el camino de regreso, Taufic quiso tomarse un helado: tuvo que jurar que no contaría nada al llegar a la casa. En la cena se hartó dos platos de cuscus y de postre dos flanes. Estaba feliz la mamá: quería conocer a la psicóloga para invitarla a cenar. En casa hizo un queque para enviarlo en agradecimiento por el éxito de la terapia y prometió recomendarla a todas sus amigas neuróticas.

Fuad se quedaba en una sala de espera del burdel, esperando que Taufic saliera del cuarto, cuando lo llevaba a tomar su terapia. Hasta que un día pensó que tal vez esa terapia le podría llegar a él también.

Se echó un polvo triple con una asiática: en la varie-
dad está el gusto. Le gustó. Para el próximo martes
decidió que quería probar una negrita. Así todos los
martes después de almuerzo el padre y el hijo salían
felices con la verga parada hacia el burdel.

Petrona

Encapuchada, la noche se volvió negra como la muerte.

No se explicaba Petrona porque tres individuos armados desbaratarían a culatazos la puerta de su casa en el Chorizo y bien maneada la tirarían adentro de una camioneta doble cabina con una capucha para que no viera.

Rebotando por los baches en la paila tapada con una lona pensaba que tal vez la estaban secuestrando para pedir un rescate, improbable porque no tenía familiares y nadie podía saber de la plata que tenía bien escondida en su champa. Ahorros de tantos años de putería le habían dejado lo suficiente para poder dejar de trabajar, pero por amor al arte seguía putiando.

Toda la vida, desde cuando se escapó del instituto para niños abandonados a los 13 años, empezó y con éxito a alquilar su cuerpo, que era muy especial. Además conocía la raíz de todas las perversiones. Así llegó a ser la reina del burdel de mama Blanca en Trinidad.

Trataba de embolar a todo cliente que se le ponía en frente para alivianarlos de todo lo que podía cacharse hasta que una noche se topó con un hijueputa que aguantaba el trago lo suficiente para darse cuenta que ella lo estaba alivianando de un legítimo Longines de oro. El hombre trató agarrarla del pescuezo para estrangularla. Patrona sacó de abajo del colchón una navaja de afeitar de barbero. Logró de un solo vergazo cortarle la garganta de oreja a oreja. El hombre salió corriendo, chorreando sangre. No llegó lejos.

El muerto era un conocido banquero; Petrona estaba condenada.

Mama Blanca le tenía cariño a la cipota. La embarcó la misma noche en un buque contrabandista a la costa de Colombia, donde trabajó de mesera y después de puta en varios lugares y en todo el Caribe hasta que en un pleito con otra puta, por celos consiguió un trancazo en la jeta que le voló los dientes de enfrente. Petrona logró cortarle la garganta a la otra puta con la navaja que siempre llevaba encima y terminó viviendo escondida en el Chorizo.

Maneada en la camioneta rumbo a saber adonde putas y para que putas, revolvía toda su vida buscando alguna razón porque o para que estuviera metida en esta vaina. A pesar del importante record criminal, en los últimos años desde que no salía del Chorizo, vieja y fea con ganas, sin dientes, no tenía clientes buenos, solo de tercera clase, pobres, menores, lustreros o a veces degenerados adinerados, que hay a los que no les gustan las mujeres si no son viejas y chucas.

La camioneta paró, la bajaron, había una laguna y desde un corto muelle de madera, a patadas la tiraron al agua. Se fue al fondo, demasiado flaca para flotar. Quedó escondida debajo del muelle hasta que escuchó el motor de la camioneta que se alejaba. Decidió dirigirse hacia al norte, aunque no sabía donde estaba.

La alcanzó un campesino con una mula cargando dos botes de leche. Por un mal polvo detrás de un matorral – lo que le quedaba todavía era el culo atractivo – frente a una mula molesta por el atraso, consiguió medio litro de leche y una tortilla con sal y los tres siguieron el camino hasta separarse a la entrada de la ciudad donde estaba la planta de leche.

Al dispensario de la misión evangélica se le arrimó Petrona, alegando dolores al vientre. Fingiendo, estirando las patas, retorciéndose y quejándose, consiguió que la metieran a dormir en una cama en espera del doctor que llegaría el día siguiente.

En la madrugada se largó llevándose una cobija y de la cocina una olla, un cuchillo y todo lo que pudo cargar de comida: latas de sardinas, chorizo y del laboratorio media botella de alcohol puro para análisis más rico que el vodka.

Caminaba en las madrugadas y al estallar el calor se paraba a descansar y en las tardes al bajar de nuevo el sol se arrimaba a las aldeas a lo largo de la carretera a pedir posada y comida de gorra o pagando con polvos. De vez en cuando conseguía jalón en camiones.

En la iglesia del pueblo de "Las Peñitas", mintiéndole al pobre pendejo del cura le rogó que por Diosito le prestara dinero para comprar un pasaje en la baronesa para ir a Santa Rita donde una hija estaba grave después de un mal parto. Pero en lugar de salir rumbo a Santa Rita, compró dos botellas de Flor de Caña y una mochila donde cargar sus cosas.

Descubrió adelantando en el camino, que estaba feliz como nunca tal vez lo había estado, libre después de años de vivir en el hediondo Chorizo escondida por unos homicidios cometidos en su propia defensa, gozando de la naturaleza del paisaje, de la gente que generosamente la ayudaba.

En un pueblo del norte, el coronel Sanchez, gobernador político, pasando por el parque central, se molestó al ver un montón de pachangueros sucios y peludos, sentados algunos, echados otros, en medio de un basurero de papeles y botellas. Por el decoro de la ciudad los hizo agarrar y con un avión DC3 de la fuerza aérea los mandó a botar en una zona aislada del país cerca de la frontera. Unos lograron volver, otros se quedaron, muchos se murieron.

Petrona se topó en camino con uno de esos pachangueros que trataban de regresar a su casa y acomunados por la misma religión del trago, fraternizaron. Era lo único que faltaba para ser del todo feliz: alguien con quien compartir el atardecer chabacaneando y chupando cerca de un fuego para espantar la jodedera de los zancudos. Como todos los borrachos él era músico: no hay músico que no sea borracho ni borracho que no sea músico, dicen. Con su guitarra tocaba y cantaba boleros de amor antes de fondearse felices envueltos cada uno en su cobija. Fue su mejor, primera y última vacación feliz. Al no más llegar al Chorizo, alguien fue avisado de su regreso. Y ahora la noche negra. La más negra. La mataron de un escopetazo por haber echado unos polvos que habían corrompido el hijo de un hombre rico.

Amparo Lopez

Cuando una joven india empezaba a trabajar en una casa de ricos, estaba tácitamente tolerado (si no convenido) que tenía que sacarle el clavo a los hijos más jóvenes de la familia con tal de que no lo hicieran demasiado descaradamente, eso para evitar que los jóvenes varones de la casa se fueran a pisar donde las putas de a peso el polvo en la zona roja de la ciudad donde todos los fines de semana, después del pago de la bananera, habían muertos. Además de una gonorrea se podía conseguir una puñalada o un machetazo.

Nacidos los hijitos ilegítimos, a los 12 años empezaban a trabajar en la misma casa y a veces se quedaban toda la vida y sin saber que eran sangre de los dueños. A veces ni la madre sabía de quien eran hijos, que las familias eran grandes. Por las noches, los hijos varones visitaban a menudo los cuartos de la servidumbre, y había puesto para todos.

Las sirvientas no eran personas, más bien eran cosas de las cuales se podía disponer, usar y abusar. Los ricos, comerciantes palestinos y libaneses, artesanos e industriales alemanes o italianos, y ganaderos criollos que habían levantado plata y vivían en las magníficas mansiones del mejor barrio de la ciudad conseguían los trabajadores y las trabajadoras entre los indios que vivían en sus haciendas y en las cuarterías de los barrios pobres, donde no había luz ni agua.

El llegar a trabajar en casa de ricos, comer los tres tiempos, dormir en los cuartos de la servidumbre con agua y servicio, a veces en una verdadera cama en lugar del catre, hamaca o petate con un montón de hermanitos que las madres amachimbradas con el hombre del momento deshorneaban uno cada año sin falta: los hombres de turno de los cuales, desde que les empezaban a salir las chichas y a veces antes, les tocaba la violencia y el abuso…un trabajo en una mansión de ricos era como sacarse la lotería chica. Desparasitadas de ascaris, tricocefalos y niguas, no más chuña y arapos, con zapatos, ropa gozada por la dueña, regalada o cachada, y comida güeviada para llevar y aliviar a la familia en las dos horas de salida el domingo por la tarde, doctor y medicinas en lugar de curandero y brebaje de hierbas, por si acaso se enfermaban.

Trabajaban duro y sin horario, y como perros se encariñaban de sus dueños: la síndrome de Estocolmo. Trapear, barrer, chiniar y cambiar pañales, lavar, planchar, cuidar niños y ancianos, se sentían parte de la familia y por eso no les molestaba robar. Era como que las cosas eran también de ellas, un derecho y parte del miserable sueldo que ganaban.

Para Amparito había sido diferente. Había nacido en uno de los cuartos de la servidumbre en la casa del general Lopez. Cuando su presunto padre, el hijo menor del general, tenía que ir a estudiar a la academia de West Point, en la noche al regreso de la fiesta de despedida, bien prendido por alcohol, irrumpió en el cuarto de la sirvienta y la agarró: una mala suerte quedar embarazada a su primer mal polvo, de pura violencia, sin amor, el milagro de las hormonas nuevas de paquete no gastadas por los años.

La esposa del general reconoció cierto parecido con el hijo menor. Que la niña bastante aindiada fuera su nieta ninguna duda tenía. Empezó a dedicarse a ella: el pediatra, las vacunas, buena comida, buena ropa y zapatos, después legal adopción, decidió que la niña se trasladaría desde los cuartos de las sirvientas a la casa, y después el kinder, la escuela de las monjas, la piscina, el tenis, el colegio, al fin la universidad.

Amparito no sabía que su madre había trabajado en su casa, que después se había pasado a trabajar en otra mansión y que por vieja e inútil, después de sacarle todo el jugo, como cáscara de naranja o de limón la habían echado del trabajo y estaba viviendo en una champa en el barrio del Chorizo.

Una de las viejas sirvientas reveló que Amparo era hija de una cocinera, a la cual la dueña había regalado dinero, pidiéndole que desapareciera para siempre de la vida de su nieta. La vieja había comprado una humilde vivienda en el Chorizo, un barrio famoso en todo el país por ser un alegre barrio de putas, cuchilleros y pachangueros.

Amparo fue al Chorizo, ese barrio de miseria feliz. Se había asustado. Cuando empezó a salir con el hijo del ministro de gobernación, un cadete de la escuela militar, tenía miedo que se supiera que unos de sus tíos estaban en la cárcel por asesinatos, narcotráfico, extorsiones, secuestros – una familia de criminales, una verdadera enciclopedia criminal. Dándose cuenta de que su madre era un estorbo para su futuro, Amparo tenía que cortar todos los puentes con su verdadera familia.

Después de muchos años casada con un coronel de la fuerza aérea, distinguida dama de la sociedad capitalina, miembro del congreso en el partido conservador, y por unos años embajadora en España, presidenta de la junta nacional del bienestar social, designada a la presidencia de la república, cuando se le había olvidado por completo la mamá cocinera y los tíos criminales, apareció un periodista de la Prensa dominical, un periódico de chismes y escándalos, un periodista, verdadero hijueputa que se dedicaba al chantaje y a echar mierda para ensuciar a la gente más limpia. Era el terror de los políticos, siempre en busca de algún chisme o calumnia. Rojas Nufio, él sabía toda la historia. Parece que una vieja que había trabajado en su casa le había contado todo, y queriendo sacar provecho recogió un dossier completo sobre la candidata y sus tíos, hermanos de su mamá, y le envió copia pidiendo dinero y un nombramiento en alguna embajada en cambio de que nada saliera en el periódico.

Rojas Nufio desapareció. Dicen que estaba haciendo un reportaje en Cuba con entrevista a Fidel, pero otros afirmaban haberlo encontrado en un hospital en Nicaragua enfermo con SIDA, otros que estaba haciendo un recorrido por Europa, hasta que apareció, no él, más bien lo que de él quedaba después de la paciencia de los zopilotes del basurero municipal dos cuadras abajo del barrio del Chorizo.

Sobraban los que lo querían muerto. A los muchos que hablaban bien de él en el velorio les costaba esconder el placer de saberlo muerto y comido por los gallinazos.

Rojas Nufio tenía fama de marica y se empezó a investigar en el mundo de los pervertidos pero no salió nada. Por pura casualidad el teniente Roque supo que el periodista había estado haciendo preguntas en el barrio del Chorizo. Nufio había entrevistado a una vieja escuálida que negó algo difícil de negar. Dijo que nunca había hablado con Nufio, que ni lo conocía.

Fue una buena oportunidad para el teniente de ensayar la nueva máquina de la verdad que acababa de recibir: un Hyfrecator, un aparatito en uso entre los dentistas para electrocirugía menor. Una punta delgadita clavada en la piel casi no dejaba rastro en la superficie pero los tejidos profundos carbonizaba. Llevaron a la escuálida vieja a las oficinas del D.I.N. Con un tango argentino de Mariano Mores, cantado por Violeta Rivas, "Que triste fue el adiós" para que los vecinos creyeran que había fiesta; unos hasta querían meterse colados.

La anciana contó toda su vida: se acordó que era la

mamá de Amparo Lopez y el padre era el hijo menor del viejo general. Que por la niña había recibido dinero y jurado sobre la reliquia de San Petrolio el mártir que nunca revelaría a nadie que había vendido a su hija. Y de la muerte de Rojas Nufio?

A Amparo la sangre caliente del indio le había despertado. No podía perder sus alcances por un hijueputa periodista; lo fue a visitar. Tenía bien escondida adentro de una media una minúscula escuadrita Colt pocket en calibre 6.35. Lo invitó a cenar. Debajo de la mesa, rozándole la pierna con el tacón, insinuó un intercambio. El pendejo se calentó; pensando en un puesto en la embajada y ahora en la gloria entre las piernas de la mujer. Con ella se subió al carro.

El teniente supo que tenía que esperar que en las elecciones ganaran los liberales para caerle encima a la señora, poderosa y con amistades políticas y militares.